Fleur Bourgonje

SPOORLOOS

PANDORA

Een eerdere editie is verschenen bij Uitgeverij Meulenhoff (1985)

Pandora Pockets maakt deel uit van Uitgeverij Contact
Tweede druk
© 1985 Fleur Bourgonje
Omslagontwerp en compositie: Jos Peters, Huizen
Foto auteur: Eddy Posthuma de Boer
NUGI 300
CIP/ISBN 90 254 5710 X

Inhoud

aan Paloma

Jij noch ik

We hebben niet gespeeld
en toch verloren
ik heb geen stem meer voor je jij
geen oren meer voor mij

vergis je niet je was een ander
en ik ben niet meer ik we waren
ternauwernood wij

we komen niet terug al komen
we om

laat dus maar ik ga al
ik ga al verder

ELLEN WARMOND

1 *Het vertrek*

De koffer had sinds de eeuwwisseling achter een versleten velours gordijn in een hoek van de zolder gestaan. Leeg en bestoft, vergeten na die ene keer toen hij achter op een brik, die getrokken werd door een onwillig paard, kleren en geborduurd beddegoed van Apeldoorn naar het dorp in de Gelderse Vallei had vervoerd. Hanna veegde met de vingers van haar linkerhand voorzichtig het laagje stof en de spinnewebben van het deksel. De koffer was bruin, bruin en gaaf, zonder een enkele kras: de tijd was er onopgemerkt aan voorbijgegaan. Met haar zaklamp bescheen ze de sloten en het handvat waaraan een plankje en twee sleutels met een halfvergaan touw vastgebonden waren. Ze wreef met haar wijsvinger over het stukje hout. JACOBA B. stond er in sierlijke letters op geschreven. Met deze koffer was Jacoba B. meer dan zestig jaar geleden naar het dorp gekomen op een boerenwagen, geklemd tussen perkamenten schemerlampen, een pluche stoel en wat huisraad. Ze had de hele weg gezongen, ze had haar lied alleen onderbroken om met een witte kanten zakdoek zweet en opgewaaid stof van haar gezicht te vegen. Hanna legde de zaklamp op de zoldervloer, trok het touwtje los en probeerde met een van de sleutels de sloten open te maken. Maar er kwam geen beweging in, een halve eeuw had zich vastgezet in het sluitmechanisme van de kleine koffer die eens het hele bezit van haar grootmoeder naar haar eindbestemming had gebracht. Hanna knipte de zaklamp uit en leunde met haar hoofd tegen de balk waar het van de regen zwaar geworden rieten dak op rustte.

Ze wilde weg. Ongemerkt zou ze de volgende ochtend uit het ontwakende dorp verdwijnen, ze zou Jacoba's koffer op de bagagedrager van haar fiets binden met de riem die jaren doelloos beneden in de gang aan een spijker had gehangen. Haar kleren lagen al dagenlang op stapeltjes en ze wist dat het gespaarde geld genoeg was voor een enkele reis per trein vanuit de dichtstbijzijnde stad tot ver over één of misschien meerdere grenzen.

Jacoba was gebleven. Ze had haar hart verloren aan de dorpssmid, die ze in de gloed van het vuur zwetend op het zware aambeeld had zien beuken. Hij had de opgewonden vrouw zijn bouwvallige huis achter de smederij binnengeloodst, en hij had brandewijn geschonken in het enige glaasje op voet dat hij rijk was. Met opgerolde mouwen en zijn leren voorschoot voor had hij haar nog diezelfde avond ten huwelijk gevraagd en tegen de dageraad had Jacoba ja gezegd, ja, ze wilde wel blijven, ze was het zwerven moe en hield van zijn brede, eeltige handen. Vanaf die dag liep ze zingend door het dorp alsof het van haar was. Ze vlocht haar koperkleurige haar in een wijde krans rond haar hoofd, leunde met haar brede heupen aanhalig tegen de smid als hij in gedachten verzonken met de blaasbalg zijn vuur aanwakkerde, en schonk gul brandewijn voor de stuurse boeren.

Maar na amper een jaar begon ze te klagen over haar eenzaamheid en de achterdochtige blikken die haar volgden wanneer ze in haar lange zwarte rok en gesteven blouse over straat liep. Van achter de gordijnen werd er naar haar gegluurd, zei ze, en de vrouwen van het dorp spraken schande over haar uitbundigheid. Verontrust had de smid haar geleerd dat spreken zilver was en zwijgen goud. Van de boeren moeten wij het hebben, had hij gezegd, wat is een hoefsmid zonder paarden?

Maar Jacoba had niets met de boeren van doen en de boeren niet met haar. Er werd gefluisterd dat ze mooi maar ook heel grillig was en slecht gehumeurd. Dat ze zich bij onweer en bliksem in de kelder opsloot nadat ze het bestek en de koperen deurknoppen met wollen doeken had bedekt. En het gerucht deed de ronde dat ze het beste eten voor de scharenslijpers en marskramers bewaarde die een paar keer per jaar het dorpje aandeden. Ze geeft het hemd van d'r gat, roddelde de buurt, en dat terwijl ze nog geen nagel aan d'r vinger heeft om d'r kont te krabben. Na een paar jaar was Jacoba het klagen verleerd en zong ze ook niet meer.

Hanna streek met haar vingers langs de hoofdletter J die versierd was met prachtige krullen. Ze herinnerde zich hoe ze met haar grootvader op warme zomeravonden door de korenvelden buiten het dorp had gelopen en hoe hij haar, steunend op zijn tot wandelstok gesneden boomtak, als terloops had verteld over het vreemde verdriet van zijn vrouw Jacoba. 'Ze zweeg,' zei hij, 'ze had geleerd te zwijgen omdat dat beter was, maar 's nachts mompelde ze onsamenhangende woorden in haar slaap en soms lachte ze zo hard dat ik koud water moest halen om haar gezicht mee te besprenkelen, en als ze dan wakker werd was het alsof ze van een verre reis terugkwam en eindelijk weer de mijne was.'

Hanna deed de zaklamp weer aan en probeerde opnieuw de sloten open te maken. Ook de tweede sleutel draaide niet, de sloten weigerden Jacoba's leegte aan haar nageslacht prijs te geven. Geruisloos schoof Hanna het gordijn opzij en liep toen op haar tenen naar het trapgat. Er was geen mens beneden in de keuken, alleen achter uit de tuin klonken stemmen. Ze liep naar de meisjesslaapkamer aan het andere eind van de zolder om een hamer en een nijptang te halen. Vanuit het open-

staande raam zag ze hoe haar moeder met een zak-
mes paarse en witte seringen van de struiken sneed,
de takken een voor een op het grasveld legde en
toen het wasgoed van de lijn trok nadat ze eerst
ieder kledingstuk tegen haar lippen had gedrukt
om te voelen of het wel echt droog was.

Haar moeder wist dat Hanna weg zou gaan, ze
had het altijd al geweten. 'Hanna is een vreemd
kind, een droomster,' had ze verontschuldigend
geantwoord op de kritische vragen van het school-
hoofd en de vrouwen uit de buurt, en naarmate
Hanna ouder werd had ze steeds vaker herhaald:
'God mag weten wat er door dat donkere hoofd
spookt.' Maar toen Hanna haar vertrek aankondig-
de en haar kleren opgevouwen op een stoel had
gelegd, was haar moeder 's avonds laat aan de houten keukentafel met haar hoofd in haar handen
in huilen uitgebarsten. Verwijtend had ze geroepen: 'Je hebt het hier toch goed, wat zal je dan
verderop gaan zoeken? Nergens ben je vrij, er zal
altijd wel iemand de baas over je spelen! Je laat ons
in de steek! Ik heb het altijd al aan voelen komen!'

Op haar tenen sloop Hanna terug naar de koffer.
Met de nijptang probeerde ze de sleutel rond te
draaien, voorzichtig, met kloppend hart. Het me-
taal kraakte en gaf iets mee. Haar handen beefden.
Ze ging weg en de kartonnen koffer werd haar
reisgenoot. Ze zou er alles instoppen wat haar dier-

baar was, hij zou trots in het bagagerek van een internationale trein of in het vooronder van een veerboot liggen. Zij, Hanna, zou zin geven aan zijn bestaan, net als Jacoba had gedaan, lang geleden, maar toen was het gebleven bij die ene, beslissende tocht dwars over de Veluwe.

'Na de dood van haar jongste kind is ze nooit meer de straat opgegaan,' had haar grootvader Hanna toevertrouwd op een van hun wandelingen in de zomerschemering. 'Zelfs de zwervers konden haar niet troosten. Ze zat daar maar, vlak bij de hoorn van de grammofoon die ik uit de stad had laten komen, of tegen de waterput waar in de herfst de bladeren van de appelboom in vielen. Jacoba was een vreemde hier. Ze was gekomen als bij toeval, ze had ook een dorp eerder van de brik kunnen stappen. Misschien had ze zich daar wel thuis gevoeld of wie weet zou ze daar nooit bang zijn geweest voor onweer of burengepraat.' Hanna's grootvader had vermoeid haar hand gepakt. Het was al bijna donker en de zware geur van pasgemaaid gras hing over de velden terwijl het water van de beek moeizaam door het vlakke land stroomde. 'Ik hield van je grootmoeder,' fluisterde hij voor zich uit, 'maar ik geloof niet dat zij ooit van mij heeft gehouden. Ze zocht iets wat ze niet vond. Ze wilde vrolijk zijn en vrij, maar in plaats daarvan werd ze droefgeestig en honkvast, tot ze tenslotte doodging als een paard dat langzaam door de knieën zakt omdat het niet meer verder wil.' Zonder een woord te zeggen waren ze over de landweggetjes teruggelopen naar huis. Nog even bleven ze op de rand van de waterput zitten. 'Om naar de merel te luisteren,' had haar grootvader gezegd, maar de merels zongen nooit op dat uur. Hij was in de war en trok zenuwachtig met zijn mond. 'Jij hebt haar ogen,' zei hij plotseling zonder Hanna aan te kijken, en toen was hij opgestaan en naar binnen gelopen.

Het eerste slot had het begeven onder de druk van de nijptang en haar bezwete handen. Ze duwde het sleuteltje in het andere gat en begon uiterst behoedzaam de tijd terug te draaien. Toen het slot knarsend opensprong, bleef ze geschrokken zitten en staarde naar het houten labeltje alsof ze toestemming wilde vragen om het verleden binnen te mogen gaan. Pas na een paar seconden lichtte ze het deksel een klein stukje op en scheen met de lamp in de koffer. Hij was dieper dan ze gedacht had en was gevoerd met vaal oudroze papier dat rook naar vergetelheid. Op de bodem lagen twee zwarte kanten handschoentjes en een gesloten enveloppe zonder opschrift. Met ingehouden adem pakte ze de enveloppe en streek ermee langs haar wang. Beneden in de keuken werden de borden voor het avondeten met harde hand op tafel gezet, vier aan de ene kant, drie aan de andere en grootvaders bord aan het hoofdeind. Door het trapgat kwamen stemmen omhoog samen met de geur van gekookte aardappelen en opgewarmd stoofvlees. Met de nagel van haar duim maakte Hanna de enveloppe open. Er zat een vliesdun, haast doorzichtig briefje in dat zorgvuldig in vieren was gevouwen. Het zweet stond op haar voorhoofd en slapen. Beneden kletterden de messen tegen de aardewerken borden.

'Anton, liefste,' stond in sierlijke letters boven de brief. 'Anton, ik kan niet meer. Dit dorp maakt me gek. Ik voel jou zo ver weg. Ook de kinderen zijn zo ver weg, en verder heb ik niets of niemand. Waarom hebben jullie mij buitengesloten? Ik hou van je, Anton. Ik zou het gloeiende hoefijzer in jouw smidsvuur willen zijn, het aambeeld onder jouw moker. Maar je raakt me al zo lang niet meer aan, je werkt, je doet je plicht. Ik ben alleen, Anton, ik voel je iedere dag wat verder weg. Ik hoor je stem in de verte of helemaal niet meer. Ik hoor alleen die andere stemmen, vlak achter mijn rug. Ik had hier niet moeten blijven, maar ik hield van jou. Nu is het te laat. Ik kan niet meer. Jacoba.'

'Hanna, je hebt gehuild.' Bestraffend keek haar moeder haar aan terwijl ze met een vervormde lepel jus over de aardappels op haar bord goot. 'Wat mankeert jou vandaag?'

'Morgenochtend ga ik weg.'

Aan het hoofdeinde van de tafel sloeg Hanna's grootvader traag zijn zware oogleden op en staarde haar zwijgend aan.

'Weg? Waarom? Dan laat je ons hier wel mooi met de rotzooi zitten.'

'Ik zou wel met je mee willen.'

'Dacht ik het niet!'

'Ze wil natuurlijk vrij zijn, laat naar bed, drinken, vrijen. En geef haar eens ongelijk.'

'Ben je niet bang alleen?'

'Zij is nergens bang voor, behalve voor de dingen waar ze niet bang voor hoeft te zijn.'

De enveloppe brandde onder haar jurk tegen haar blote huid. Om haar onrust te bezweren had ze de koffer naar haar slaapkamer gesleept en haar spullen erin gegooid voordat ze de trap af was gegaan om voor de laatste keer met de familie te eten. De vragen gingen langs haar heen, de antwoorden werden door anderen gegeven. Ze voelde hoe haar grootvader haar tijdens de hele maaltijd over zijn lepel heen aan bleef kijken. Toen hij klaar was met eten sloeg hij een kruis, schoof zijn stoel naar achteren en greep zijn wandelstok van de haak naast het fornuis. Zonder het gebruikelijke welterusten en zonder van Hanna afscheid te nemen liep hij de keuken uit. Maar in de deuropening draaide hij zich plotseling met een bruuske beweging om. 'Jij hebt haar ogen,' zei hij, 'het is goed dat je gaat.'

De volgende morgen, in alle vroegte, nog voor de boeren de koeien met de te strak gespannen uiers in het weiland bij elkaar dreven, bond Hanna de koffer met de riem achter op haar fiets en verliet onopgemerkt het dorp aan de rand van de Gelderse Vallei.

2 De heksen van Oleron

Argwanende, nerveuze herdershonden beschermden tweeëntwintig vrouwen tegen de buitenwereld en de buitenwereld tegen de vrouwen. Overdag stond de poort tussen waan en werkelijkheid wijd open, maar niemand durfde vanuit de geborgenheid de sprong naar de andere kant te maken. Tegen zonsondergang kwam er uit de zee een dichte nevel opzetten die in het dal bleef hangen en alleen maar de angstige roep van vogels en zo nu en dan een mensenkreet doorliet. Bij het vallen van de nacht werd de poort gegrendeld en dan zakten de twee werelden weg, elk in hun eigen mysterie en mensenschuw isolement.

Lulu en Nana waren de veteranen van de gemeenschap. Ze waren de enigen die niet dronken en met minachting neerkeken op de vrouwen die 's avonds in het geheim in de kelders gestolen ether snoven of een heupflesje cognac aan hun lippen zetten.

Lulu was weggelopen uit een gekkenhuis. Ze had piekerig grijs haar dat ze met behulp van spelden en strikjes wist op te binden tot een sierlijke hanekam. Ze droeg altijd vier of vijf rokken over elkaar en daaronder een grijze pofbroek om haar onderlichaam aan het schaamteloze daglicht te onttrekken. Dag en nacht sjouwde ze met een kat die ze nu eens liefkoosde alsof hij haar jonge minnaar was, dan weer tierend en scheldend van zich af trapte. Op gezette tijden verdween ze met een zak stokbroden en een handvol vruchten in het bos om een paar dagen later verwilderd en verwijten mompelend aan de poort op te duiken.

Nana, die zichzelf in de loop van de jaren had opgeworpen als aanvoerster van de groep, had een onderscheiding van het Legioen van Eer op haar borst gespeld en schreef lange brieven aan generaal De Gaulle waarin ze hem verzocht zijn medewerking te verlenen bij de aanleg van een geplaveide oprijlaan als tegenprestatie voor haar verzetsactiviteiten in de Tweede Wereldoorlog. In haar linkermondhoek bungelde van de vroege ochtend tot de late avond een zelfgedraaide sigaret, en al had ze ooit in Noord-Afrika behoord tot de Congregatie van de Zusters van Foucauld, ze droeg altijd een herenpantalon en een paar afgetrapte laarzen. Haar stem was gebiedend en zwaar, haar handen waren als van schuurpapier.

Maar al waren Lulu en Nana de veteranen en al slaagden ze er steeds opnieuw in alle vrouwen naar hun hand te zetten, ze waren even alleen als ieder ander. Geen van hen deelde het bed, niemand bedreef de liefde.

In een van golfplaten opgetrokken schuurtje aan de rand van het bos gristen en graaiden de vrouwen de godganselijke dag in het afval van de grote stad, dat door vrachtwagens werd afgeleverd. Met begerige ogen lonkten ze naar de fluwelen feestjurken en de met kant afgezette nachthemden die ze open moesten tornen om ze te verknippen in vierkante vodden. Die vodden werden later in balen geperst en als poetslappen aan een machinefabriek verkocht. De beproeving was nog groter bij de afgedankte kleren die de toets van de armemensenmode nog glansrijk konden doorstaan en in een kraampje naast de poort aan zigeuners en Marokkaanse gastarbeiders werden verkocht. De opbrengst was voor verre, arme landen. Zo stond het geschreven in de statuten die opgesteld waren door filantropen en een notaris in ruste. Een minimaal gedeelte was voor de vrouwen zelf. Dit gesjacher aan de rand van de welvaart leverde de tweeëntwintig een volle maag, bescherming en wat vergetelheid op.

Er waren dagen waarop er geen woord gezegd werd in de stampvolle voddenschuur. De vrouwen keken elkaar dan vijandig aan, gristen de mooiste vodden voor elkaars neus weg of gaven in het voorbijgaan een venijnige trap tegen een toch al wankel krukje. Het enige dat je hoorde was het tornen van de mesjes en het driftig scheuren van de stof. Op zulke als lood wegende dagen – 's zomers snikheet en benauwd ondanks de tegen elkaar openstaande schuurdeuren, 's winters Siberisch koud ondanks de verwoede pogingen van het potkacheltje wat warmte en rook het hok in te blazen – was er altijd wel iemand die met goede bedoelingen een tophit of een liedje uit een ver verleden aanhief. Als de vrouwen meezongen, eerst aarzelend en daarna luidkeels, was de dag gered. Zongen ze niet mee en bleef die ene ijle stem in de stilte hangen, dan kon je er donder op zeggen dat er in de loop van de eindeloos durende middag plotseling gekrijst en gescholden zou gaan worden en dat er waardeloze maar harde voorwerpen door de lucht zouden vliegen. Al daalde god zelf dan uit de hemel neer om met opgeheven armen het oproer te bezweren, dan nog zouden de vrouwen ermee doorgaan blindelings de boel af te breken. Misschien zouden ze zelfs zijn lange gewaad met hun tornmesjes te lijf gaan want standsverschil kende het vlijmscherpe gereedschap niet.

Maar er waren ook dagen dat ze goedgeluimd het werk ter hand namen waarmee ze hun eigen overleving en die van de arme landen meenden af te kopen. Dan deed het knippen en scheuren er niet toe en kwamen alle tongen los, zelfs die van Sofia die zich eigenlijk ver verheven voelde boven haar zusters. Een niet te stoppen stroom van woorden baande zich dan een weg tussen de vodden en prullen, op zoek naar de rust van een stilstaand meer. De rode draad was steeds weer de liefde. Mankheid, debiliteit, drankzucht, kinderschaar, klooster, abortus of gevang, alles viel weg tegen dat ene grote dat de naam liefde draagt.

Liefde, o liefde. De heksen hadden prinsen gekend en koningen bemind. Eens werden ze op handen gedragen en hadden ze geslapen in taftzijden hemelbedden. Onder het genot van een glas champagne hadden ze de meest ongenaakbare mannen weten te verleiden. Hun lichamen hadden intieme strelingen ondergaan, hun borsten waren van wit marmer geweest en hun lippen vol en rood. Mannen hadden fortuinen verkwanseld om een nacht met hen te kunnen doorbrengen, een nacht maar, en ze hadden hun gouden bergen beloofd en gegeven. Hun lichamen waren vervuld geweest van heimelijke verlangens en begerige jongemannen hadden die verlangens keer op keer bevredigd. Aan hun ranke voeten hadden ze gelegen, knielend, kreunend, hunkerend. En eindelijk waren de vrouwen voor zo veel liefde en hartstocht gezwicht.

Op zulke liefdesdagen was een misplaatste grap, een wantrouwende blik of een al te uitbundige lach voldoende om het tij in de voddenschuur te doen keren. Even viel er een krampachtige stilte en dan kwam als een donderslag bij heldere hemel de naakte waarheid te voorschijn. De prinsen veranderden in pooiers, de tedere minnaars in agressieve dronkelappen. De hemelbedden waren door Jan en Alleman beslapen en de champagne had de gifgroene kleur van gazeuse.

De hunkerende minnaar van Lola was een werkeloze baanwachter die met de noorderzon was vertrokken nadat hij haar in zes jaar tijd vijf kinderen had geschonken, die zij in leven hield door 's avonds de straat op te gaan. Agnes was als jong meisje in een doodlopend steegje verkracht. Nadat ze zich door de puberteit had geworsteld was ze ingetreden in een klooster, maar vanwege haar al te realistische visioenen van de Heilige Catharina en haar nachtelijke zelfkastijdingen in de beslotenheid van haar cel werd ze uit de nonnengemeenschap gestoten. Met de schande van het hele mensdom op haar te smalle schouders was ze bij de heksen beland. Annie was een ongehuwde moeder van amper zestien die door haar vrijer in de steek was gelaten toen hij in de gaten kreeg dat ze wel goed bij haar lijf maar niet bij haar hoofd was. Lizzy had als hoer grof geld verdiend omdat het manke been waarvoor ze overdag op straat werd uitgejouwd 's nachts in het stalen bed van haar huurkamer een speciale attractie bleek te zijn. Totdat ze de vijftig bereikte en ook de rest van haar lichaam het liet afweten. De Gelaarsde Kat van Lulu was haar incestueuze oude grootvader.

Dan lagen de afgewezen handen stil in de afgewezen schoten, terwijl de verbittering zich aftekende op tweeëntwintig vrouwengezichten. Zelfs de ongeletterde Marie, die in de oorlog fout was geweest omdat ze zich met Duitse officieren had afgegeven, kon ongehinderd haar verhaal doen. Op deze dagen werd Marie niet uitgescholden. Schuw als ze was greep ze die ene gelegenheid aan om zichzelf vrij te pleiten.

De liefdesdagen eindigden altijd in een collectieve uitbarsting. De vrouwen sprongen wild in het rond, smeten de vodden in elkaars gezicht, sloegen elkaar op de billen en gierden van het lachen terwijl ze de arme landen naar de maan en de leden van het andere geslacht naar de diepste hel wensten. Ze spuwden vol afschuw op de liefdadigheidsjaponnen, klepperden met de naaldhakken op de stenen vloer en trokken het versleten ondergoed tandenknarsend aan flarden. Geen steen bleef op de andere, geen heilig huisje overeind. Tweeëntwintig vrouwen schreeuwden hun banvloek uit over liefde, kapitaal en burgermansfatsoen.

Tegen de tijd dat de bel voor het avondeten werd geluid, waren verlangen en verleden weer gedwee ondergedoken in het heden en liep iedereen weer in het gareel. Alleen Lulu ging ervandoor om haar kat te zoeken en Nana krabbelde snel een P.S. onder haar verzoekschrift aan De Gaulle. Er werd niet meer gelachen, hooguit gegrijnsd. De rivier kroop traag stroomopwaarts terug naar haar bron.

Het avondeten werd naar binnen geslagen alsof er voor de dagen erna een hongerstaking was afgekondigd. Zwijgend werd de houten tafel afgeruimd. Daarna ging Nana met haar eeltvinger op de lijst na wie er aan de beurt was om de vloer te vegen en de pannen te schuren. Met haar rauwe stem gebood ze stilte, deed haar broekriem een gaatje losser en rolde de laatste sigaret van die dag. Als ze dan later op de avond naar buiten sjokte om de drie grommende honden op het terrein los te laten en de poort te grendelen, dropen de vrouwen een voor een af naar hun schuilplaatsen, en pas tegen zonsopgang trok de nevel weer op.

3 Fatima

Het was warm in Santiago de Chile. De nacht bracht nauwelijks enige verkoeling. Ik had die dag na mijn aankomst een paar uur op een bankje van de Plaza de Armas gezeten en was daarna op en neer naar het Mapocho-station gelopen voordat ik aarzelend op de bel van San Francisco-straat 139 durfde te drukken. Toen de vrouw die na lang wachten opendeed in zangerig Spaans vroeg wie ik was en op mijn antwoord niet-begrijpend 'Hanna? Wat voor Hanna?' vroeg, liet ik haar het briefje zien dat ik vanaf de andere kant van de wereld bij me had gedragen en waar 'voor Fatima' op stond. Juanita, zo heette de vrouw, keek me aan met een blik die het midden hield tussen argwaan en meewarigheid, en slofte voor me uit de trap op naar de eerste verdieping. Ze klopte te hard en te lang op de houten deur en duwde me toen naar binnen.

'Soy caliente,' verontschuldigde ik me, naar adem happend, 'ik ben heet, ik ben een hete vrouw.' Met haar 'sí, hace calor', 'inderdaad, het is heet vandaag' snoerde de jonge vrouw aan het eind van de vergadertafel de verbaasd opkijkende mannen de mond en trok snel een stoel dichterbij.

'Ik ben Fatima,' fluisterde ze, 'ga hier maar zitten, we zijn bijna klaar.' Ik klampte me aan haar glimlach en haar paar woorden Engels vast en zat geduldig de broeierige middag uit in een wolk van rook en ontoegankelijke politieke termen en hartstochten. Het toeval had mij naar haar toe gebracht, een vriend had in Europa haar naam op een papiertje gekrabbeld toen ik het magische woord Chili liet vallen. En plotseling zat ik aan het andere eind van de wereld naast haar zonder te weten wie ze was of wat ze dacht.

Na afloop van de vergadering trok ze me mee naar beneden de lawaaierige straat op. Afgeladen taxi's schoten rakelings langs ons heen. 'Luister,' zei ze lachend, 'je moet je niet druk maken omdat je niemand kent. Kom morgenavond maar bij mij thuis, dan kunnen we wat rustiger praten. Hier is mijn adres. Ik hoop dat je het kunt vinden. Alle huizen van de buurt zijn hetzelfde en ze hebben geen nummers. Vraag maar naar Fatima. Chau.'

De volgende avond perste ik me in de bus die dwars door de stad knetterend zijn weg naar de Nuñuo-wijk zocht. Bij de halte die ze op het papiertje had geschreven, liet de half uit de bus bungelende klit passagiers in zijn geheel los en viel op straat. 'Verdomde Unidad Popular-bussen! We flikkeren er nog een keer onder!' schreeuwde een man naar de onverstoord voor zich uit kijkende

chauffeur, waarop een vrouw vanuit de bus terug-
riep: 'Je moet toch dood, man, is het niet vandaag
dan is het morgen!' Ik liet het briefje met het adres
aan spelende kinderen zien, die onmiddellijk 'Fati!
Fati!' begonnen te roepen en op hun blote voeten
voor me uit renden om me in het doolhof van
houten huisjes de weg te wijzen. Ze trokken me
mee over vuilnisbelten en door greppels waarin
een laagje stinkend water stond. Bij het op een na
laatste huisje van een straat zonder naam bonkten
de kinderen met hun vuisten op de deur en storm-
den naar binnen.

Fatima zat op me te wachten met een halfvolle
fles Pisco, empanada's en een stuk dieprode watermeloen. De kinderen gristen een empanada van
het bord en stoven weer naar buiten het stoffige
steegje in. Zij lachte en schonk twee mosterdgla-
zen vol Pisco. 'Geluk,' zei ze, 'op je komst naar
Chili, leuk dat je er bent.' Ik voelde de spanning
van de afgelopen weken uit mijn lichaam wegtrek-
ken. Er was tenminste iemand in het onbekende
land, op het onbekende continent, die mijn naam
uitsprak en een glas hief op mijn bestaan. Als
ik zou verdwalen zou zij me misschien gaan zoeken; zij zou me de namen van de straten leren
en de prijs van het brood. Niets kwaads kon me
nog overkomen. Chili was Fatima en Fatima was
Chili.

Toen zag ik aan een spijker in de muur een witte jas met een stethoscoop hangen. Zij had mijn blik gevolgd. 'Ik werk in een krottenwijk op een consultatiebureau voor vrouwen en kinderen,' zei ze in een mengsel van te snel Spaans en haar paar woorden Engels. 'Veel vrouwen plegen abortus en kinderen sterven dagelijks onder mijn handen aan diarree en infecties. Ze komen, ik geef ze pillen, ze gaan weer, maar er verandert niets.' Hoe meer ze zich opwond, hoe meer ik verdwaalde in haar klanken en gebaren. Ze nam nog een slok Pisco en lachte. 'Trek je er niets van aan, wij slikken de helft van alle woorden in. Luister, ik zal je meenemen naar mijn werk, dan kan je alles met eigen ogen zien. Zet Europa maar uit je hoofd. Dit hier is iets heel anders.'

De boekjes die zij me gaf, worstelde ik met het woordenboek in de hand door, en de plattegrond van Santiago heb ik kilometer voor kilometer in mijn hoofd geprent. Op een ochtend nam zij me mee naar het noorden van de stad, naar de uitgestrekte, naar armoe stinkende krottenwijken. In het consultatiebureau zag ik vanuit mijn veilige uitkijkpost een lange stoet misère aan me voorbijtrekken terwijl uit naamloze monden klachten kwamen over maagzweren, slapeloosheid, pijn en neerslachtigheid. Ik bleef met haar meegaan, 's morgens vroeg als in het centrum de rolluiken nog dichtzaten en de dronkaards moegezopen naar huis strompelden. En na maanden luisteren hoorde ik plotseling een ander verhaal, de geschiedenis van de eeuwenoude vernedering en de even oude opgekropte woede. Ondertussen streelde zij met een bezorgde blik in haar ogen de pasgeboren kinderen en praatte geduldig met vrouwen die zich al lang bij hun lot hadden neergelegd en gelaten de potjes medicijnen aanpakten. Ik zag haar bezig met naald en draad, mesjes en sondes, pleisters en verband, maar ik zag ook hoe ze opbokste tegen de onderworpenheid van de patiënten en de arrogantie van collega's die over de ruggen van de armen hogerop wilden komen. In het buurthuis zat ik naast haar als ze met haar vrienden ruziede over de vreedzame weg naar het socialisme, want zij geloofde niet in geleidelijkheid en wantrouwde ieder voorstel dat van boven kwam. Samen legden we kilometers te voet af om landbezetters medicijnen en voedsel te brengen. Op haar afgetrapte schoenen sjouwde ze van het ene in haast opgetrokken krotje naar het andere om twijfels aan te horen en angsten weg te praten. 'Compadre,' zei ze dan, 'nog even volhouden, deze grond is van jullie omdat jullie hem bewerken. Op deze grond gaan wij wonen en hier zullen onze kinderen worden geboren. En gebruiken zij geweld, dan antwoorden wij met geweld. Het

wordt tijd dat wij het recht in eigen hand nemen.'
Ik keek geschrokken naar haar handen, die gewoonlijk wonden heelden maar even vertrouwd bleken te zijn met het pistool dat ze altijd in haar dokterstas bij zich had.

Aan liefde kwam ze nauwelijks toe. Haar werk nam al haar energie en al haar gevoelens in beslag. Toch waren er dagen waarop ze zich treurig en eenzaam voelde. Dan verdroeg ze niemand om zich heen, wilde ze geen lijdend lichaam zien en geen armoeverhaal aanhoren. Ze voelde zich dan zelf ziek en trok zich terug als een aangereden hond die zich lijkt te schamen omdat zijn gebroken poot over de grond sleept.

'Jij moet kiezen,' zei ze me na een jaar van vriendschap. 'Als jij een van ons wilt zijn en hier wilt werken, moet je breken met je zekerheden. Je kunt niet eeuwig van twee walletjes blijven eten.' Ze nam me op sleeptouw van de kopermijnen in het noorden tot aan de Mapuche-nederzettingen in het zuiden. Ze leerde me kogels uit wonden halen en brandbommen maken van lege flessen. Ze leerde me denken volgens de logica van de onderdrukten, hoewel ik bleef twijfelen. We schreeuwden dezelfde kreten in betogingen tegen het fascisme en zwaaiden met dezelfde kleur vlag. Drie jaar lang liepen we naast elkaar dezelfde weg. Drie lange jaren zwoeren we samen tegen het despotisme van vooroordelen en macht. En eindelijk, na drie jaar, had zij mij met de rug tegen de muur van mijn veilige bestaan.

En toen werd het menens. In de vroege ochtend van de elfde september 1973 reden er tanks door de straten van Santiago. Fatima moet het consultatiebureau bereikt hebben voordat de bombardementen begonnen en de militaire vrachtwagens uitrukten voor razzia's in fabrieken en krottenwijken. Vrienden hebben me later verteld dat zij zoals op willekeurig welke andere dag haar witte jas aantrok en de stethoscoop om haar nek hing. Maar op die elfde september hielp ze geen kinderen geboren worden en stierven de vrouwen die binnen werden gebracht omdat ze uit wanhoop met een breinaald in hun baarmoeder de geschiedenis hadden willen terugdraaien. Op die elfde september reed ze per ambulance wapens en granaten van de ene uithoek van de stad naar de andere en vervoerde ze met loeiende sirene degenen die op de zwarte lijst van de nieuwe machthebbers stonden. Toen het consultatiebureau door tientallen soldaten met mitrailleurs werd bestormd, wist ze in het haar zo vertrouwde labyrint van steegjes te ontkomen. Samen met haar vrienden is ze die dag ondergedoken.

Ik stond nog steeds met mijn rug tegen de muur toen zware laarzen de deur intrapten en geweerkolven door mijn kamer zwaaiden. Op de stoep vatten de eerste boeken vlam. Vanuit de huizen aan de overkant verspeelden ingesloten scherpschutters hun laatste kogels en ik zag van achter het matras dat als dekking dienst deed, uit elkaar gereten lichamen, de prijs voor onze droom van de afgelopen drie jaar. Het was toen te laat om te kiezen. Gebruik makend van het allerlaatste privilege ontsnapte ik via de ambassade van het verre land waar ik was geboren.

Wij leefden onze levens verder, Fatima het hare aan de ene kant van het Andesgebergte en ik het mijne aan de andere kant. Haar briefjes, die steeds op wonderbaarlijke wijze hun weg naar mijn huis in Buenos Aires vonden, moest ik met een gloeiende bout strijken om ze te kunnen ontcijferen. Ze schreef: 'Mijn jongste broer is ontvoerd, die van zeventien. Hij stond bij de bushalte. Niemand heeft hem meer gezien. Mijn moeder en Adela worden als gijzelaars vastgehouden, maar ik geef me niet over. We hebben tienduizend dollar nodig voor het verzet, kunnen jullie daar aankomen? O ja, schrik niet, ik ben verliefd.' Een jaar later schreef ze: 'Je zult het niet geloven maar ik ben bang. Ik vlucht als een rat van het ene huis naar het andere. Ik verander bijna iedere week van naam. Ik heb mijn haar geverfd, jij zou je doodlachen als je me zag. Ik durf nauwelijks de straat op. Van mijn familie geen nieuws. Mijn god, Hanna, wat ben ik bang.'

Ze stonden haar op te wachten toen ze thuiskwam. Ze hebben haar in elkaar geslagen. Ze hebben haar naar het martelcentrum Villa Grimaldi gebracht. Veertig dagen hebben ze haar mishandeld. Ze hebben de enige man van wie ze had gehouden voor haar ogen de kogel gegeven. Ze werd gebrandmerkt op die plaatsen waar haar huid het gevoeligst was. Toen ze niet meer dan een menselijk wrak was, hebben ze haar geboeid door het hete zand van de Atacama-woestijn gereden en haar over de Peruaanse grens gezet. De politie ving haar daar met open armen op en zo kwam ze, even identiteitsloos als de Indianenvrouwen uit het binnenland, in een stampvolle en door ongedierte en schimmel overwoekerde cel in de vrouwengevangenis van Lima terecht. Daar moest ze bewijzen wie ze was, maar veel te bewijzen viel er niet meer. Uiteindelijk hebben ze haar laten gaan.

Toen brak de periode van beschuldigingen aan, want het feit dat ze niet vermoord was kwam haar kameraden uiterst verdacht voor. Ze had haar vrijheid met verraad gekocht, beweerden ze. Na vijf jaar anonieme heroïek moest ze zich tegenover de bureaucraten van het verzet verdedigen omdat ze levend en niet dood was. Het was hun wantrouwen dat haar tenslotte heeft gebroken.

Jaren later zagen we elkaar terug. Ik was op
doorreis in Amsterdam, zij woonde voor onbepaalde tijd als balling in Brussel. Daar dweilde ze
's avonds de vloeren van een bankgebouw en overdag leerde ze converseren in het Frans. In haar
vrije tijd troostte ze vrienden die zich verlaten
voelden. Aan liefde kwam ze niet meer toe.

Vanuit Brussel schreef ze brieven die moeilijker
te ontcijferen waren dan de geheime vodjes van
destijds. Ze schreef: 'Wat doe ik hier? Wie ben ik?
Waar leef ik nog voor?' Ze belde op vanuit een tele-
fooncel op het perron van Brussel-Midi en ik vermoedde achter haar zangerige stem woede en
wanhoop. Een paar uur later liepen we gearmd
door Amsterdam zoals vroeger door Santiago, en
in een café op het Leidseplein zei ze plotseling:
'Hanna, ik voel niet meer. Ik ben van steen. Ik hou
van niets, van niemand. Ook niet van mezelf.'
Maar ik wist dat ze nog altijd droomde en haar
verdriet verbeet. Dat ze vloekte en 's nachts vocht
tegen demonen die haar bleven achtervolgen. En
ook ik vloekte, omdat ik in Amsterdam, op doorreis naar haar continent, neerschreef dat zij in
Brussel vloeren dweilde en niet meer kon liefheb-
ben.

4   De val

Hanna had de smaak van as nog in haar mond toen ze overeind krabbelde en langs de steile afgrond voorzichtig naar boven begon te klimmen. Er kan je niets gebeuren als ik van je houd, had Thomas aan het begin van de reis gezegd, geen oerwoud, geen dictatuur of aardbeving krijgt ons eronder en geen eenzaamheid is tegen ons bestand.

Hanna had zijn hand gegrepen en zwierf met hem door tijd en ruimte. Haar voeten kregen eelt van de verre tochten, kogels ketsten op haar af en de ongenaakbaarheid van het geluk van anderen deerde haar niet meer. Tot die middag op het Paaseiland, vijfduizend kilometer uit de Chileense kust.

Van achter de bemoste rotsen tegen de vulkaanhelling riep hij: 'Hanna, ik ga van je weg. Je woorden ken ik vanbuiten alsof het de mijne zijn. Je lichaam is te klein. Je lach komt op voorspelbare momenten en de klank is dof. Ons vuur is gedoofd na al die nachten.'

Even bleef het stil. Toen hoorde Hanna hoe hij argeloos de kooi op een kier zette en het monster dat al die zwerfjaren doelloos had gesluimerd, een bek gaf om te bijten en poten om haar te achtervolgen over het hele eiland, tussen de glibberige stenen, achter de godenbeelden aan de kust en in het open veld vol ananasplanten. Wanhopig vluchtte ze langs kronkelpaden, ze verschool zich in naar ontucht stinkende hutten en in een vissersboot tussen stuiptrekkende tonijn. Met restjes houtskool schilderde ze zich mooier dan ze was, of ouder en hulpelozer, maar het beest raakte bezeten van de geur van zijn prooi en wist niet meer van wijken.

Uitgeput en angstig als een kind dat alleen de nacht wordt ingestuurd, was ze tenslotte in de afgrond getuimeld. Ze had geprobeerd zich vast te klampen aan rotspunten en uitstekende takken die haar val zouden kunnen breken, die haar angst voor de leegte voor even zouden kunnen temperen. Nog één keer had ze zijn naam geroepen: Kom terug! Ik geef je het licht van mijn ogen en de warmte van mijn handen! Maar hij had zich van de rots laten glijden en slenterde al in de richting van de dichtstbijzijnde nederzetting. Het waren vreemde handen die hem koesterden toen Hanna neerkwam op de bodem van de slapende vulkaan.

Het werd haar zwart voor de ogen en alle geluid verstomde. Zelfs de oceaanwind ging aan de kloof voorbij. En na dagen buiten de tijd geleefd te hebben werd ze op een morgen wakker, keek ver-

wonderd om zich heen en begon toen omzichtig de wanden van het gat te versieren met takken die ze in haar val had meegesleurd. De bladeren vlocht ze door haar zielepijn. Zo woonde zij in de diepte tussen afval en smeulend vuur totdat tenslotte haar verlangen moe was en ze behoedzaam naar boven begon te klimmen om bij de eerste gelegenheid het eiland te verlaten.

5 Rosita

De poort van de strafgevangenis 'Nuestra señora de la Misericordia' stond die zondagmiddag wijd open maar het verroeste hek erachter was vergrendeld. Hanna meldde zich bij het portiershokje. Een mannenstem snauwde door een ovaal spreekgat met kleverige randen: Naam. Adres. Beroep. Nummer paspoort. Naam gevangene. Reden bezoek. Een non in burgerkleding trok haar achter een gordijn, nam haar handtas af en fouilleerde haar met een kwaadaardige blik in de ogen. 'Onze Lieve-Vrouw van de Barmhartigheid', was er machinaal op haar lichtblauwe jasschort geborduurd. Met een knik gebood de non haar door te lopen, alsmaar rechtdoor.

'De politieke gevangenen worden samen met de gewone delinquenten op de binnenplaats gelucht,' zei de bewaker die het zware hek op een kier zette, 'Ze is er zeker bij. Doorlopen.' Hanna liep door de donkergroene gang. Rechtsaf, nog een gang en nog een, andere kleur, andere afdeling, ander kaliber delinquenten. Zalen, cellen, isoleercellen. Psychiatrische afdeling, gaarkeuken, douches, ziekenzaal, kapel. Een tweede non in jasschort maakte het hangslot naar de binnenplaats open. 'Morel-

la? Die moet hier rondlopen. Alle vrouwen zijn buiten behalve de isoleercellen en de zwaren. Kijk zelf maar even rond.'

Tientallen vrouwen slenterden over de binnenplaats of zaten rond lange, houten tafels. De meesten hadden bezoek. Maar nergens zag Hanna dat vertrouwde hoofd vol zwarte krullen, nergens die bedachtzame, enigszins vragende blik. 'Wie zoek je?' vroeg een vrouw die in de schaduw van een palmboom op een bankje zat en zichzelf met een dubbelgevouwen krant koelte toewuifde.

'Ik kom voor Morella.'

'Waar zit ze voor?'

'Ze is vorige week op de universiteit opgepakt bij een demonstratie tegen de stijging van de kosten van levensonderhoud.'

'Politiek dus?'

'Ja.'

'Er zou vanmiddag een advocaat voor de politieken komen. De meesten hebben recht op een advocaat. Wij niet.'

'Waar zit jij voor?'

'Stijging van de kosten van levensonderhoud.'

'Maar dan ben jij toch ook politiek?'

'Nee, ik ben gaan jatten.'

'Hoe lang moet je nog zitten?'

'Vijf maanden. Maar dit is al de derde keer.'

Met haar krant sloeg de vrouw de vliegen van

het bankje en nodigde Hanna met een armzwaai uit naast haar te komen zitten. Ongerust liet Hanna haar blik over de binnenplaats gaan. Misschien zat Morella bij de andere vrouwen aan een van de tafels, misschien was ze nog niet hersteld van de slagen met de geweerkolven of wie weet hadden ze haar vrijgelaten bij gebrek aan bewijs. Aarzelend nam ze plaats.

'De eerste keer was ik vijftien,' zei de vrouw, 'ik werkte toen als dienstmeisje bij een familie in Cali. Meneer was directeur bij een bank. Heel deftig, veel poeha, je kent dat wel. Mevrouw zat de godganselijke dag op haar luie reet of ging op visite bij haar vriendinnen. Ik moest voor de twee kinderen zorgen, het huis schoonhouden en eten koken. Zondagmiddags mocht ik uit, maar dan moest ik om zeven uur weer binnen zijn. Mijn loon bracht ik iedere maand naar mijn moeder die met mijn zeven broertjes en zusjes in een dorp drie uur rijden van Cali woonden. Van dat geld kocht ze eten. Op een goeie dag zei mevrouw dat de hele familie voor twee weken met vakantie ging en dat ik op het huis moest passen omdat ze bang was voor inbrekers. Ik bleef dus alleen achter.

In het begin was het wel leuk, maar na een paar dagen begon ik me te vervelen. Toen heb ik de bus naar huis genomen. Ik vroeg aan mijn moeder of ze geen zin had om naar al die mooie spullen van

mevrouw te komen kijken. Nou, daar had ze wel oren naar. Een paar dagen later gingen we met zijn allen naar Cali. We hebben alle jurken van mevrouw gepast en al haar hoeden en jassen, en mijn moeder trok haar ondergoed aan en een beha met kant, zoiets moois had ze nog nooit gezien. En dan die schoenen met hakken, zo mooi. Je kon het zo gek niet bedenken of we trokken het aan. Mijn broertjes sprongen van de stoelen, want mevrouw had van die grote stoelen met vering. En toen dronk mijn moeder wijn uit de flessen van meneer. Ze klom op de tafel en begon te zingen, liedjes van vroeger over de liefde en ook het volkslied. Wij hingen een gordijn om haar schouders en een tafelkleedje om haar hoofd, net een prinses. Zo bleef ze wel een uur staan zingen. Maar opeens hield ze op en schreeuwde dat ze genoeg had van de ellende en dat die rijkelui haar reet konden likken en dat we allemaal onze zakken vol moesten stoppen om met de eerste de beste bus terug naar huis te gaan.'

De vrouw lachte voor zich uit. Ze was Hanna en de vliegen op haar arm vergeten. Ze lachte als een dwaas die opgaat in een schouwspel dat voor de omstanders verborgen blijft.

'Ik was heel bang voor mijn moeder. Zo kende ik haar niet. Thuis was ze altijd heel stil, maar nu stond ze boven op de tafel te schreeuwen en later

begon ze hard te huilen. Toen hebben we de sieraden en de mooiste jurken bij elkaar gegrist. Ik nam ook mijn eigen spullen mee omdat ik er nooit meer terug durfde te komen. Toen zijn we er met z'n allen snel vandoor gegaan.

Twee weken later kwam de politie met meneer me halen. Mijn moeder zei nog dat ik het niet gedaan kon hebben, dat het inbrekers waren geweest, dat haar kinderen fatsoenlijk opgevoed waren, hoe ze het in godsnaam in hun hoofd haalden te denken dat haar dochter een dievegge was. Maar het haalde allemaal niets uit.

Ik heb toen een jaar gezeten. We waren met acht vrouwen in één cel. We sliepen op matrassen op de grond en in de hoek was een gat waarin je moest schijten voor het oog van iedereen. In het begin schaamde ik me, maar later kon het me niets meer schelen. Niets kon me nog schelen, behalve dat ik vastzat. Drie van de acht vrouwen waren opgepakt omdat ze hoer waren en zonder papieren langs de kant van de weg hadden gestaan, en die vrouwen zeiden dat je helemaal geen armoe hoefde te lijden, want als je geen diploma en geen geld en ook geen man had, dan had je altijd nog je lichaam. Ze zeiden dat het wel even wennen was om het zo vaak en steeds met verschillende mannen te doen maar dat geld veel goedmaakte, nooit meer honger, altijd mooie kleren. Ze zeiden

dat je het gewoon over je heen moest laten komen.

Toen ik die eerste keer vrijkwam, ging ik terug naar Cali. Mijn moeder was ziek en kon niet meer werken. Ik zei: "Moeder, maak je maar geen zorgen, je moet alleen even geduld hebben." Ik ben naar het adres gegaan dat een van de vrouwen in de gevangenis me gegeven had. De man die opendeed vroeg of ik ervaring had. "Ervaring in wat?" vroeg ik, "als een jaar slavernij als dienstmeid niet genoeg ervaring is, kan je beter naar een ander uitkijken." Dat antwoord scheen hem te bevallen want hij zorgde voor papieren en een kamertje om in te werken. Van iedere honderd peso's moest ik er dertig aan hem geven, voor de huur en het wasgoed en de bescherming.

Na de eerste man begreep ik waar het in het leven om gaat. Mij kunnen ze weinig nieuws meer vertellen. Soms had ik vijf, soms vijftien klanten per dag en iedere klant had zijn eigen kuren. Mannen met stropdassen die geslagen willen worden, keurige heren die komen aanzetten met het verhaal dat je eigenlijk te goed en te mooi bent om hoer te zijn en dat ze je uit het slechte leven willen redden. De klanten in werkpak komen maar voor één ding: om te neuken en verder geen gelul. Ik heb nog nooit een arme sloeber gehad die geslagen wilde worden.

Ik werkte al twee jaar in die zaak toen ik op een avond een klant had die wegliep zonder te betalen. Ik rende hem achterna en schreeuwde over straat dat ik mijn geld moest hebben, dat ik geen sinterklaas was en dat ik de baas erbij zou halen als hij probeerde hem te smeren. Hij begon te schelden: "Engeltje, wat verbeeld jij je wel? Je mag blij zijn dat ik je heb klaargemaakt!" Toen heb ik hem een keiharde trap in zijn kloten gegeven. De baas kwam maar stak geen vinger uit. En natuurlijk ook de politie, die is er altijd als de bliksem bij als een hoer iemand een mep verkoopt. De grap heeft me een maand gekost.

Toen stond ik weer op straat. Zonder geld, zonder papieren. Ik wilde niet terug naar dat leven. Mijn moeder was nog steeds bedlegerig en de kleintjes zwierven over straat. Dagenlang heb ik in mijn eentje in de deuropening van haar huisje gezeten zonder te weten wat ik moest doen. Ik was de enige in huis die geld kon verdienen, maar ik wilde geen dienstmeid en ook geen hoer zijn. Ik wilde eigen baas zijn. Zo ben ik tenslotte gaan stelen.

Eerst jatte ik kleine dingetjes, blikken sardientjes of kleren op de markt. Later, toen ik er handigheid in kreeg, ben ik overgestapt op het grovere werk. Van de opbrengst konden we met zijn achten ruim leven. Voor het eerst was er vlees op tafel en ik liet zelfs een dokter komen voor mijn

moeder. "Ze is vel over been," zei hij, "ze moet goed eten, anders haalt ze de veertig niet." Ondanks het goede eten heeft ze de veertig niet gehaald. Op een goeie dag is ze gewoon in haar bed doodgebleven. Als een spook zat ze ons met haar dooie ogen aan te kijken.

Ze hebben me gesnapt bij het stelen van juwelen. Ik heb niet eens geprobeerd weg te lopen of me te verdedigen. Ik ben gewoon met ze meegelopen, ik heb de sieraden voor hun neus op tafel gegooid en heb gezegd: "Hier hebben jullie het hele zootje. De hele wereld kan me gestolen worden. Doe maar met me wat je wilt."

Ik moest met een maatschappelijk werkster praten en daarna met een psychiater. God nog an toe, wat een vent. Hij zei: "Je bent gestoord in je hoofd, Rosa, je handen zitten los." Ik zei: "Ben jij wel eens flauwgevallen van de honger? Is jouw dochter soms dienstmeid? Heeft jouw vrouw zich wel eens moeten laten naaien om 's avonds brood op de plank te hebben?"

Een week later moest ik bij hem terugkomen. Hij was toen zo vriendelijk als een ouwe aap en zei: "Luister, Rosa, we hebben het beste met jou voor. We zijn van mening dat je overspannen bent en het verschil niet meer weet tussen mijn en dijn. Mensen als jij denken dat de hele wereld van hen is en dat ze alles kunnen zeggen wat er maar in hun donkere hoofdjes opkomt. Jij kent geen grenzen, Rosa. Jij probeert de schuld van jullie armoe op een ander te schuiven. Kunnen wij het helpen dat jullie arm zijn? Kunnen wij het helpen dat jij uit stelen gaat en in het eerste het beste bordeel gaat werken? Daar kan je de maatschappij toch moeilijk de schuld van geven, kind. Je doet er beter aan de oorzaak bij jezelf te zoeken. Ik wil jou daar wel bij helpen, Rosita. We zullen de komende twee jaar wat vaker met elkaar over jouw leven praten." Wat een klootzak. Ik heb gezegd dat hij voor altijd op kon donderen en dat hij de moord kon stikken met zijn verschil tussen mijn en dijn.

Ik moet nu nog vijf maanden zitten. Maar ik zweer je, ik ben bereid het geeft niet wat te doen om niet weer te creperen. Om met mijn broertjes en zusjes een restaurant binnen te lopen, net te doen of er niets aan de hand is, een tafeltje bij het raam uit te kiezen en een menu van drie gangen te bestellen. Ik zweer je, daarvoor sla ik iemand zijn kop in. Daarvoor ga ik als het niet anders kan opnieuw op mijn rug.'

Ze lachte schel en keek onmiddellijk om zich heen alsof ze geschrokken was van haar eigen stemgeluid. Toen zei ze zonder Hanna aan te kijken: 'Die vrouw daar bij het hek, is dat soms jouw Morella? Ze ziet er tenminste uit alsof ze hier niet thuishoort, zo'n gaaf koppie, daar zou je niet aan

aflezen dat de kosten van levensonderhoud zo on-
rustbarend gestegen zijn.'

Rosa stond op. Ze draaide zich om en liep met de
krant onder haar arm tussen de korfbalpalen door
naar de overkant van de binnenplaats.

6 Tango

Met weemoed viert León zijn vijftigste verjaardag.

Zijn negenenveertigste vond plaats in een ander land, in een ander klimaat en zelfs de tijd was niet de tijd van nu. Hij verwacht veel landgenoten op zijn feest, vluchtelingen uit Argentinië, die geen gelegenheid voorbij laten gaan om te eten, te drinken en over Perón te ruziën. León heeft alle namen uit zijn door de jaren aangevreten adresboekje uitgenodigd. Hij wil weten wie er nog in leven is, hij wil alle gelukkigen de hand drukken.

De buitendeur staat open. Hij wacht zijn gasten op, hij plukt ze van de straat. Stralend kijkt hij Hanna aan.

'Raad eens wie er zijn gekomen?'

Hanna noemt zijn vrienden en zijn vele vriendinnen, zijn zoon, leerlingen en voor het gemak de buren.

'Je raadt het nooit. Ga maar eens binnen kijken.'

Nieuwsgierig wringt Hanna zich door het smalle gangetje vol jassen naar de huiskamer. Vanaf het balkon komt de geur van geroosterd vlees naar binnen gewaaid. Er hangt rook en er klinken zo veel stemmen door elkaar dat ze niet weet welke kant ze uit moet kijken. León is achter haar aan gelopen en roept in haar oor: 'Heb je ze gezien?'

'Wie?'

'Conrado en Diana!'

Als aan de grond genageld blijft ze staan. Conrado en Diana. Conrado en Diana verdwenen op een dinsdagmiddag om nooit meer terug te keren behalve op een lijst van dertigduizend vermisten. Conrado en Diana, twee verliefden, op hetzelfde moment door de aarde opgeslokt.

Ze haalt diep adem en priemt haar nagels in haar handpalmen. Ze voelt pijn. Ze leeft.

'Hanna!' roept Conrado, 'hoe kom jíj hier?'

Hij wil overeind springen maar valt terug op de bank. Diana reikt hem zijn krukken aan. Hij ruikt zoals vroeger naar kruiden en verschaalde wijn en hij transpireert nog steeds als hij gedronken heeft. Hanna drukt zijn warme lijf tegen zich aan en fluistert: 'Conrado, is dit geen droom? Ben jij het echt?' Hij knikt zonder iets te zeggen.

Diana glimlacht. Ze lachte nooit, ze glimlachte alleen maar. Haar gezicht en armen zitten vol littekens. 'León had ons ook uitgenodigd,' zegt ze, 'hij wilde zo graag dat we kwamen. Wij zijn altijd zijn beste vrienden geweest en vijftig jaar is tenslotte niet niks.'

León schuift trots een stoel voor Hanna bij en schenkt de glazen vol. Op het balkon wordt het vlees op de rooster omgedraaid zodat het vet sissend in de gloeiende houtskool valt. Uit de werkkamer klinkt een tango.

'We moesten van ver komen,' zegt Diana. 'Ik lig samen met honderden anderen in een afgedankt marineschip op de bodem van de oceaan, niet ver van de Zuidpool. Onze lichamen zijn met stenen opgevuld zodat we blijven waar we zijn. Maar de verjaardag van León weegt zwaarder dan de stenen.' León gaat naast haar zitten en slaat dankbaar zijn arm om haar heen. Dan zegt Conrado: 'Ik lig in een kartonnen doos op een kerkhof in Buenos Aires. We zijn met meer dan tweehonderd dozen. Het viel niet mee om eruit te komen, maar voor León ga ik door het vuur. Ik weet hoeveel zijn vrienden steeds voor hem betekend hebben. Op León! Geluk!'

De bandoneon jankt dwars door het drukke gepraat en gelach. Op ronde plankjes met een gleuf wordt het vlees doorgegeven. Nieuwe flessen worden ontkurkt. León straalt.

Diana kust Conrado op zijn voorhoofd, duwt zijn krukken onder de bank en zegt: 'Wat heb ik je gemist. Al die jaren op de bodem van de zee met in plaats van liefde stenen in mijn buik.'

'En ik,' zegt Conrado, 'in een doos zonder te weten waar jij was en met kramp in mijn hele lichaam. Ik durfde nooit te gaan slapen omdat ik bang was dat ik niet meer wakker zou worden. Ik dacht aan jou, aan de glimlach op je gezicht toen je die dinsdagmiddag haastig de sleutel in het slot stak en me verliefd naar binnen duwde...'

'Daar stonden ze, achter de deur, drie mannen niet ouder dan wij, in keurige pakken met stropdas, middenscheiding als Gardel. Sloegen ze jou ook op je hoofd, Conrado? Ik herinner me niets meer, alles werd zwart om me heen.'

'Nee, mij sloegen ze niet. Ze behandelden me als een heer. Ik moest hun de boekenkast laten zien, de slaapkamer, de wc. Ze dwongen me vanaf het balkon naar de buren te roepen dat we een weekje met vakantie naar het noorden gingen maar dat ze de planten dit keer geen water hoefden te geven. Toen ik jou overeind wilde helpen, gaven ze me een trap en bonden mijn handen vast. In een donkerblauwe Ford Falcon zonder nummerbord hebben ze ons toen naar een gebouw in de buurt van Ezeiza gereden.'

'O, dat wist ik helemaal niet,' zegt Diana, 'ik herinner me alleen dat ik wakker werd in een cel waarin nog veel meer vrouwen waren. Ze gaven me water en legden natte doeken op mijn hoofd. Hun handen waren zacht en koel. Tegen de avond werd mijn naam geroepen. Twee mannen onder-

vroegen me over werk en vrienden en over ge-
dichten die ik ooit geschreven had. Twee andere
mannen bonden me vast en sloegen me, en toen
ik opnieuw wakker werd, lag ik op de ijskoude
bodem van de zee. Ik maakte me zorgen om jou,
Conrado, ik had je nog willen zeggen dat jou
niets kon overkomen omdat ik geen woord over
je had losgelaten, niets behalve leugens...'

León schenkt voor de zoveelste keer de glazen
vol en draait de muziek wat zachter. Sommige
gasten dansen, verdwaasd en alleen, terwijl ze met
ogen en voeten een vast punt zoeken; anderen
met z'n tweeën, elkaar tot evenwicht dwingend.
In de deuropening ruziën een jongen en een door
de jaren getekende vrouw meedogenloos over het
verleden en de onherroepelijke dood van een il-
lusie.

'Ik wist wel dat je geen woord over me zou los-
laten!' roept Conrado, 'maar zij waren al van mijn
hele doen en laten op de hoogte! Ze wisten alles,
Diana, alles. Iedere afspraak, iedere reis, iedere ver-
liefdheid! Ook mij hebben ze geslagen tot ik niet
meer kon, en toen ik eindelijk weer kracht genoeg
had om mijn ogen op te slaan, lag ik in een kartonnen doos in een hoek van het kerkhof.'

Conrado is moe. Hij is zo veel praten niet meer gewend. Diana streelt hem over zijn zwarte haar.

'Laten we dansen,' zegt ze, 'kom mee, want voor je het weet is het feest voorbij.' Ze trekt Conrado overeind en steunend op haar heupen danst hij zijn tango. Glimlachend past ze haar ritme aan zijn geschuifel aan. Met haar wijsvinger streelt ze zijn lippen nadat die voorzichtig de littekens op haar armen hebben gekust. Als de plaat is afgelopen, schuift Conrado de tussendeur naar de slaapkamer open en duwt Diana met zachte hand naar binnen.

León kijkt Hanna met zijn weemoedige, oude ogen aan. De flessen zijn leeg en de gasten zijn naar huis gegaan. Door de open ramen stroomt koude lucht naar binnen. 'Iedereen is voor mij gekomen,' zegt hij, 'ze houden van me, ik besta, ik heb het overleefd. Alles is weer net als vroeger. Het lijkt wel of de tijd heeft stilgestaan.' Hij gaat op de bank liggen en valt gerustgesteld in slaap.

De zon gaat al onder als de deur behoedzaam open wordt geschoven. Diana helpt Conrado over de drempel heen en hurkt om zijn krukken onder de bank vandaan te halen. 'We moeten weg,' zegt ze zacht om de jarige niet wakker te maken, 'het is al laat en we hebben nog een heel eind te gaan. Volgend jaar komen we wat vroeger en dan blijven we misschien ook wat langer. We weten nu de weg.'

Tussen de omgevallen lege flessen en vergeten

kledingstukken omhelzen ze Hanna. Zij loopt een eindje met hen mee, maar bij het tuinhek zegt Conrado plotseling zenuwachtig: 'Doe maar geen moeite, we komen er wel.' En Diana knikt: 'Je kunt beter hier blijven. Op zo'n lange afstand maakt een klein stukje toch niets uit.' Op de hoek van de straat lopen ze allebei een andere kant op. Nog een keer draaien ze zich om en verdwijnen dan in de schemering.

Het was al bijna avond – schemering kende het land nauwelijks – toen Hanna de Bustamante-straat in Buenos Aires in liep, in de kruideniers-winkel van de oude Spanjaard een fles wijn kocht en onder het dichte gebladerte van de bomen naar huis slenterde. De voorbijgangers stootten tegen haar aan en haastten zich voort, naar huis, van huis weg, de nacht tegemoet.

Sinds een uur wist Hanna dat ze niet langer alleen was. Diep binnen in haar klopte nieuw leven, bewoog zich een kind dat zich zou gaan mengen met haar angsten en verlangens en zich zou neste-len in haar gedachten. Verward leunde ze met de fles in haar armen tegen de muur van het flatge-bouw. Boven, op de vierde verdieping, werd er op haar gewacht. Iedere dag werd er op dit uur op haar gewacht. Iedere avond vond het rituele wach-ten plaats, het rituele thuiskomen en weer veilig zijn voor het onheil dat al maanden na zonsonder-gang door de straten en doodlopende stegen van de stad waarde. Het was donker toen ze voor de laatste keer de buitenlucht inademde en de sleutel in het slot stak.

'Er is een pakje van Nora's ouders,' zei Mateo

toen ze binnenkwam, 'en ook een brief. Het schijnt dat de bewakers haar dood hebben gevonden. Volgens de gevangenisarts was het een infectie. Haar vader heeft gevraagd een onderzoek naar de doodsoorzaak te mogen instellen, maar het verzoek is afgewezen. Ze hebben haar onmiddellijk op een onbekende plaats begraven. Haar kleren kregen ze in een plastic zak terug. Er was ook een dagboek bij. Dat zit in dit pakje. Haar moeder schrijft dat ze graag wil dat jij het leest. Ze wil er met je over praten.'

Hanna ontkurkte de fles witte wijn en schonk heel langzaam twee glazen vol. Ze pakte de brief niet aan maar liep naar het balkon en dronk haar glas in een teug leeg. 'En het kind?' vroeg ze zonder zich om te draaien. 'Spoorloos,' zei hij vanuit de donkere kamer. Ze huiverde. De nacht hing loom over de stad, over het balkon, het dagboek lag onaangeroerd op tafel. Uit openstaande ramen klonk muziek die zich vermengde met straatgeluiden en gejoel van spelende kinderen. Spoorloos. Zonder een enkel spoor. Alleen een plastic zak met kleren die ook van een ander zouden kunnen zijn.

Ze schonk zichzelf opnieuw een glas in en streek aarzelend met haar vingers over het pakje. Nora. Die laatste middag, op een vrijwel verlaten strand, had Nora haar bij haar arm gegrepen. 'Ik moet onderduiken,' had ze gezegd, 'ik moet verdwijnen. Vergeet me. Je hebt me nooit gekend. Ik zal je schrijven hoe het gaat, mijn brieven zullen je vroeg of laat wel weten te vinden. Mijn moeder heeft je adres.' Ze hadden met de armen om elkaar heen geslagen door de branding gelopen tot het moment waarop de dag donker en onbetrouwbaar werd. En plotseling was ze verdwenen.

Met een ruk trok Hanna het zorgvuldig dichtgeplakte pakje open. Het donkerrode boekje lag hulpeloos voor haar op tafel. Ik moet het lezen alsof zij een vreemde voor me was, ging het door Hanna heen, ik heb haar nooit gekend. Zij was een willekeurige vrouw, een willekeurige gevangene.

Haar handen waren klam toen ze het dagboek oppakte en er buiten in het schijnsel van de balkonlamp blind in begon te bladeren. De inhoud was één golvende zwarte lijn die hier en daar onderbroken werd door witte vlakken. Pas bij de laatste bladzijden vormden zich uit de lange potloodlijn letters, woorden, zinnen.

'Op een morgen,' las ze, 'het was nog geen acht uur, werd ik opnieuw uit mijn cel gehaald om ondervraagd te worden. Ik zei niets, ik begroef namen en data en nummers van huizen. Toen smeten ze me tegen de grond. Ik heb niemand verraden, niet bij de eerste en niet bij de tiende verkrachting. Ik heb mijn ogen gesloten en ben tien keer doodgegaan. Zo ontstond jij, zo luidt jouw scheppingsverhaal.

Een eenpersoonscel werd voor straf mijn huis. Ik was alleen, onwetend van je bestaan. Ik wreef mijn lichaam tegen de vier witte muren op zoek naar warmte, ik praatte hardop tegen mezelf om een menselijke stem te horen en hield mijn handen voor mijn ogen om het felle kunstlicht te weren uit mijn binnenste. En toen, op een dag die zich in niets van andere onderscheidde, wist ik dat je bestond. Ik heb je uitgekotst, ik heb om een dokter gevraagd, maar de bewaakster haalde haar schouders op en lachte me uit. Toen ben ik je gaan haten want jij was mijn vijand, het levende bewijs van mijn vernedering. Ik had dood willen gaan om jou niet het leven te hoeven geven, maar jij had je al aan mijn weefsel vastgeklampt. Ik begon niet alleen jou maar ook mezelf te haten, omdat er iets in me groeide dat zich voedde met mijn eigen bloed en mijn vertwijfeling. En toen er geen weg terug meer was, bouwde ik mijn lichaam om tot een isoleercel waarin geen licht, geen geluid en ook geen warmte konden doordringen. Vier witte muren en een kijkgat, zo zag mijn eigen cel eruit, zo wilde ik ook jou het leven onmogelijk maken.

Langzaam maar zeker begon je mij een vreemde vorm te geven. Ik had iedere zenuw en iedere vezel van mijn lichaam door pijn en eenzaamheid leren kennen, maar door jou kende ik plotseling mezelf niet meer. Ook de bewaakster liet me links liggen. Ik werd niet meer verhoord, ik werd niet meer geslagen. Mijn marteling was jij.

In de loop van de achtste maand heb ik je op een nacht waarin ik niet kon slapen, aarzelend uit je cel gehaald. Ik heb mijn twee handen op mijn buik gelegd en me in bedekte termen aan je voorgesteld. Je bewoog, je vermoedde al wie ik was. Ik moest je moeder zijn. Sindsdien praatte ik elke dag even tegen je. Ik vertelde je over mijn straat in Valparaiso, over de door de wind gekromde bomen voor mijn raam en de grijsgroene kleur van de zee. Ik vertelde je over de man van wie ik hield, over het bloed dat uit zijn hoofd stroomde nadat hij "weg met de dictatuur!" had geschreeuwd. En fluisterend legde ik je uit waarom ik opgesloten zat en wie je vader was.

Al pratend begon ik aan je te wennen. Je vulde mijn eenzaamheid op met je ongeduldige bewegingen in de richting van de vrijheid. Bij het wakker worden begon ik zelfs op je te rekenen. Je hoorde bij me zoals de littekens op mijn huid en het onrustige kloppen van mijn hart. Ik had mijn maanden en dagen op jou afgestemd.

En nu ben je geboren. Vandaag heb je mij de vrijheid afgedwongen die ik voor mezelf niet heb.

Voor het oog van mijn beulen heb ik jou gestalte moeten geven.

Je huilde. Je kon er ook niets aan doen. Er was je niets gevraagd. Ook mij was niets gevraagd. Ik was niemand toen ik op één dag tien keer de dood inging op een cementen gevangenisvloer. Daarom wilde ik dat je zonder mij aan te raken en geluidloos zou sterven op het moment van je geboorte, of dat je voor altijd binnen in me zou blijven. Ik schreeuwde om je tegen te houden, maar toen ik je toch in mijn handen hield, schreeuwde je terug en begon ongevraagd adem te halen.

Een fractie van een seconde zag ik ze rond de tafel zitten, thuis. Ze aten rijst met vis en watermeloen toe. Ze lachten. Ik lachte op een foto aan de muur. Al meer dan twee jaar lachte ik de wereld toe vanaf mijn ereplaats aan de muur, veilig aan een koperen haakje, zonder gevaar te vallen en plotseling pijn te hebben of bedroefd te zijn. Moeder ruimde de tafel af, vader las de krant. Het was een willekeurige dag. Het leven was doorgegaan zonder mij.

Toen wilde ik plotseling dat jij zou bestaan, dat jij voor altijd bij mij zou horen. Ik zou nooit meer alleen zijn. Voorzichtig raakte ik je aan. Ik keek naar je. Je had het koud. Je huilde niet meer. Ik heb je in mijn handdoek gewikkeld en tegen me aan gelegd, en zo sliepen we in.'

8   De smid

Hanna's vader was sterk en duldde geen tegen-spraak.

's Zomers besloeg hij de paarden van het dorp in de hoefstal voor de smederij en dan stonk de hele buurt naar schroeiende paardehoeven. Met gekromde rug hield hij het briesende dier in be-dwang als het hoefijzer in de koelbak sissend zwart werd. In de keuken slurpte de wachtende boer ondertussen de dampende koffie van het schoteltje en probeerde de dienstmeid te versieren terwijl de kinderen quasi achteloos kikkers op ta-fel loslieten of snel gedroogde paardekeutels in de uitgetrapte klompen van de boer stopten.

Buiten werkte Hanna's vader onverstoorbaar door tot zonsondergang. Met een zelfgerolde siga-ret tussen zijn smalle lippen luisterde hij naar klaagliederen over de mislukte oogst, de te droge zomer, het vrouwmens dat niet meer uit de voeten kon of de door mond-en-klauwzeer gevelde bees-ten. Hij liet de boeren schelden op de ruilverkave-ling, op de dorpsdokter die in geen velden of we-gen te bekennen was toen de knecht uit de hooi-berg viel en op zijn nek terechtkwam, of op de pas-toor die voor een begrafenismis honderd gulden en een achterham van een pasgeslacht varken vroeg. Hij luisterde, hij zweeg. Soms grijnsde hij als alles voor de wind ging, als hij trots was op zijn vrouw en vijf kinderen. Dan schonk hij laat op de avond twee jonge klares met suiker en maakte een laatste inspectietocht door de moestuin.

's Winters had hij meestal geen werk. Dan moest de knecht ontslagen worden en stond hij bij het smidsvuur ongeduldig zijn vereelte handen te warmen. Tijdens die eindeloos durende winters teerde hij in. Als hoofd van een gezin van zeven haalde hij zonder een woord van protest de broekriem aan en liep eens in de week naar de kerk om Gods zegen over de al te lang bevroren grond af te smeken. Dagenlang staarde hij door de smalle ramen van de smederij over de weilanden waarin geen paard meer liep. Pas als de zon weer aan kracht begon te winnen, werd hij milder en streelde hij zijn dochters bij het naar bed gaan met zijn rasphanden over de blote ruggen.

Misschien had hij het goed, misschien was hij tevreden. Vanaf zijn twaalfde jaar werkte hij om op zijn vijfenzestigste te kunnen uitrusten. Het woord geluk kwam nooit over zijn lippen.

Hanna's vader was groot en sterk, maar op een dag werd hij wakker met pijn in de rug die hij overal onder had gegooid. Kreunend zat hij voor de potkachel en keek met koortsogen wanhopig om zich heen. De smid van het dorp was ziek. Wie zou de paarden beslaan, de ploegen repareren, de kapmessen slijpen? Wie zou het vuur brandende houden? Met tegenzin stak hij zich in burgerkleren om de dokter zijn kloppend bovenlijf te laten zien. Een uur later kwam hij fluitend naar huis gefietst. Een ontstoken pees, had de dokter gezegd, vanwege het gewicht van de paarden, het had weinig om het lijf. Nog geen maand later werd hij vanaf zijn schouderblad via de ribbenkast tot aan het borstbeen opengesneden. Maar het gezwel had zijn longen al zo zeer aangevreten dat het niet meer onschadelijk kon worden gemaakt.

Vragend kwam hij bij uit de narcose en na een paar seconden van aarzeling installeerde zich de leugen in het niemandsland dat hem scheidde van hen die hem waarschijnlijk dierbaar waren. Een jaar lang wankelde het gespierde lichaam op de rand van de afgrond: nu eens bloedend en zwerend, dan weer helend en hoopgevend. De twee glaasjes jonge klare aan het eind van de werkdag ruimden het veld voor de spuit morfine om de nacht door te komen, en de volle borden bruine bonen met spek werden vervangen door voorzichtige plakjes tomaat. Als een gewond dier zat hij diep weggedoken in de okergele fauteuil die hij toen hij uit het ziekenhuis thuiskwam van de buurt cadeau had gekregen. Zijn kreunen was niet om aan te horen en bracht zelfs de boeren in verlegenheid, zodat ze tijdens het ziekenbezoek de paarden en de op herstel wachtende landbouwmachines doodzwegen. Er werd tegen hem aangepraat met dorpsnieuws waar hij zich misschien in het begin van zijn ziekbed aan vastklampte maar dat hem in een later stadium alleen maar verder op zichzelf terugwierp. Hoewel hij het woord sterven nooit uitsprak en iedereen om hem heen naarstig zijn best deed de leugen te versieren met onwaarschijnlijke toekomstvoorspellingen, moet hij geweten hebben dat hij nooit meer verder zou komen dan de achterdeur.

De dood had er meer dan een jaar voor nodig om het verzet van de man die gewend was paarden naar zijn hand te zetten, te breken. Maar tenslotte gaf het weggeteerde lichaam zich op een novemberochtend gewonnen, zwijgend als altijd.

Niemand weet wat er in dat jaar door hem heen is gegaan. Niemand weet waaraan hij dacht toen hij een paar dagen voor zijn dood van zijn bed opstond, naar Hanna's kamer strompelde, haar stijf tegen zijn afgeleefde borst klemde terwijl warme tranen eenzaam hun weg zochten over haar meisjesrug.

9   De reiziger

De sneltrein van Amsterdam naar Bonn was op 12 augustus 1976 zo goed als leeg. Het was die dag te warm om te reizen. Maar Jorge en Regina zouden me 's avonds om kwart voor acht opwachten bij het bord Ausgang op perron 2 van het Bonner Hauptbahnhof.

In de op een na achterste coupé zat mijn enige medereiziger, een legerofficier, die zijn kepi naast zich op de bank had gelegd en ongenaakbaar voor zich uit keek. Ik hing uit het raampje terwijl we door de streek raasden waar ik lang geleden was geboren, onwetend, argeloos. Hoe had ik toen kunnen weten dat Regina een ijzeren staaf in haar vagina geduwd zou krijgen omdat ze zweeg toen Chileense soldaten haar naar de verblijfplaats van Jorge, haar man, vroegen? Hoe had ik kunnen vermoeden dat Jorge in een martelkamer gecastreerd zou worden en tot stikkens toe ondergedompeld in drek omdat hij weigerde Regina te verraden? Hoe kon ik in hemelsnaam weten dat hun dochtertje ooit gedwongen zou worden toe te zien op welke manier haar vader en moeder beroofd werden van het verlangen en de mogelijkheid om lief te hebben?

Ik hoorde hoe de officier zijn krant openvouwde. Regina was een gebroken vrouw, Jorge een man die geen man meer was, en het kind was nooit kind geweest. En de trein denderde en denderde maar verder, dwars door Duitse korenvelden die zich uitstrekten tot aan de horizon. Trage zwarte vogels tekenden zich af tegen de strakke zomerlucht. Toen was er plotseling die vrouw.

Ze liep zonder op of om te kijken door het korenveld recht op de einder af. Was ze op weg naar de boerenknecht om hem bier en brood te brengen, zou ze in de schaduw van korenschoven het zweet van zijn voorhoofd vegen, haar blouse verder losknopen en de hoofddoek op de hete stoppels uitspreiden? Of ging ze misschien nergens naar toe, zou ze als een eendagsvlinder bij 12 augustus horen en tegen zonsondergang ophouden te bestaan? Het tafereel was van een zo perfecte harmonie dat het me verblindde. Een fractie van een seconde bestond ik alleen nog maar in een punt buiten mezelf, zonder bewustzijn en zonder dimensies. Onmiddellijk daarna schoot een bliksemflits van mijn schedel naar de nagels van mijn kleine tenen. Santiago. Het gebeurde in Santiago in de straat waar we woonden. Een vrachtwagen stopte met gierende remmen. Er sprongen soldaten met mitrailleurs uit. Ze trapten tegen de deuren en sloegen ruiten in. Tientallen mensen werden met opgeheven armen uit hun huizen gedreven. Regina kwam als laatste. Haar dochtertje hing huilend aan haar rokken. Als zakken vuil werden ze opgeladen. Er werd gevloekt, geschreeuwd, geslagen. Nog geen kwartier later was de vrachtwagen om de hoek van de straat verdwenen.

Vanuit het keukenraam had ik die volgeladen legerauto zien wegrijden. Maar zoals alle achtergeblevenen wist ik dat hij terug zou komen, 's morgens voor zonsopgang of in de korte schemering die voorafgaat aan de Chileense nacht. Er zou opnieuw op de deuren worden gebonsd. Een naam in een adresboekje, een verdachtmaking, een vermoeden was al genoeg. Maar ik was toen niet echt bang. Ik dacht: Ons huis rijden ze voorbij, ze vergeten de oneven nummers. 's Nachts in bed kon ik niet slapen vanwege verre schoten en het huilen van een kind, of misschien was het een volwassene die huilde zoals alleen kinderen kunnen huilen.

Maar toen de vrouw oploste in het korenveld, voelde ik plotseling een harige klauw in mijn nek. Een hete adem gleed over mijn rug en nagels haakten in mijn huid. Even klemde ik me vast aan het openstaande raampje, toen draaide ik me langzaam om. Er was niets. Niemand. Niet in de coupés, niet in het middenpad. Op de plaats waar de officier had gezeten lag alleen nog een krant. En toen brak eindelijk de opgeschorte doodsangst door.

Ik gilde en bonkte tegen de glasplaat die een reproduktie van Vermeers 'Lezende vrouw' uit de collectie van het Openbaar Kunstbezit tegen vandalenvingers moest beschermen, maar de zwangere vrouw in het blauw deed of ik niet bestond. Wanhopig sloeg ik tegen haar ogen en probeerde met mijn nagels de brief uit haar handen te grissen. Maar ze las verder alsof er niets aan de hand was. Help! Ik ben bang! moet ik naar haar geschreeuwd hebben, want een hand duwde me op de leren bank en schoof haastig de raampjes dicht. Toen moest ik braken totdat alles om me heen zwart werd.

Precies om kwart voor acht liep de trein het Hauptbahnhof van Bonn binnen. Ik haalde een kam door mijn haar en stapte uit. Onder het bord Ausgang stonden Regina en Jorge, zoals per aangetekende brief was afgesproken.

10 *Lorenza*

Lorenza was van ver gekomen, van voorbij Tucumán, om te trouwen met de tabaksplanter don Pedro Maduro die nog voor zijn veertigste en niet helemaal tegen zijn zin weduwnaar was geworden. Het huwelijk was schraal geweest: een doodgeboren kind en een slechte gezondheid waren alles wat zijn vrouw had ingebracht, terwijl hij dag en nacht geploeterd had om het pachtgeld te kunnen betalen en de grond vruchtbaar te maken.

Lorenza was het op een na oudste nichtje van don Pedro Maduro's overleden vrouw. Al op het kerkhof, in de brandende zon, was don Pedro's half neergeslagen oog op haar veelbelovende lichaam gevallen, maar uit eerbied voor de dode en haar familie had hij een jaar en zes weken laten verstrijken voordat hij zich op een zondag in alle vroegte in het pak hees dat sinds de begrafenis in kranten gewikkeld in de kast had gelegen. Hij had een stapeltje bankbiljetten in zijn zakdoek geknoopt en was over de landweg naar het dorp gelopen. Daar stapte hij in het stoomtreintje naar Tucumán. Het laatste stuk had hij weer gelopen, iets sneller nu, alsof hij bang was dat iemand anders op hetzelfde idee was gekomen en het voor hem te laat zou zijn.

De donderdag erop kwam hij met Lorenza terug. Met opgestoken veren liep hij op het weggetje voor haar uit. Zij had een bontgekleurde rok aan en een wijde witte blouse, en haar vlechten hingen tot over haar middel. In haar ene hand droeg ze een rieten mand en in haar andere een vogelkooi met twee krijsende papegaaitjes. Schuchter liep ze naar binnen toen don Pedro de deur van zijn huis met een zwaai opengooide, en toen hij zijn hoed afzette en zijn overhemd losknoopte, plaatste ze de kooi op de grond en liep naar hem toe.

Vanaf die middag was Lorenza don Pedro Maduro's vrouw. Zij stond 's morgens op als alles nog stil was buiten en de koelte van de nacht als een doorzichtig web over de rijpende tabaksplanten hing, om in de rivier de lakens en de kleren van de vorige dagen te wassen. Don Pedro was al in het veld als zij de was op de rivierstenen te drogen had gelegd en op het gammele bankje onder het afdak van het huis de eerste bittere mate dronk. Ze veegde de vloer, zette het eten op het vuur en als ze het bed rechtgetrokken had, knielde ze voor het beeldje dat in een nis in de buitenmuur stond, vouwde haar amper twintigjarige handen en smeekte de Heilige Maagd haar te zegenen met een zoon voor don Pedro.

Na een jaar van begeerte, twijfels en verwijten raakte Lorenza zwanger, maar toen het kind geboren was en een meisje bleek te zijn, sprong don Pedro op zijn paard en bleef drie dagen en drie nachten weg. Toen hij terugkwam en Lorenza vluchtig op haar voorhoofd kuste, stonk hij naar verschaalde wijn en Tucumánse lichtekooien. Zij haalde het meisje van haar borst en schonk zwijgend koffie in. En toen hij een paar slokken had genomen en vanuit zijn ooghoeken naar haar keek, vroeg ze hem: 'Hou je wel van me? Heb ik je dan niet gelukkig gemaakt?' Don Pedro knikte van ja, jawel, hij was gelukkig en waarom zou hij niet van haar houden? Hij stond op om zich op het binnenplaatsje te verschonen en zoals op andere dagen langs het smalle paadje in het struikgewas te verdwijnen.

Meer dan zeven jaar werkte Lorenza met don Pedro Maduro in de tabaksvelden. Meer dan zeven jaar veegde ze zijn huis, bewaakte zijn geld en sliep 's nachts met hem. Maar het meisje was na zeven jaar knielen voor de nis nog steeds alleen en don Pedro's vereelte handen vervreemdden van Lorenza's borsten en van haar buik.

Op een ochtend trok Lorenza na het koffiedrinken de bedden niet recht. Ze deed haar bloemenjurk aan en kamde haar vlechten los. 'Ik ga naar de markt,' zei ze tegen don Pedro, 'de rijst is op en het kind moet nodig nieuwe schoenen. Ik heb wat geld uit je potje gepakt. Voor het donker wordt ben ik weer terug.'

Voor zonsondergang was ze thuis. Alsof ze niet weg was geweest zette ze een pan met een bodempje olie op het vuur, snipperde er een ui in en gooide er vervolgens de rijst en het water overheen. Even siste het hevig, toen werd de oppervlakte glad en stil. Ze ging op een stoel naast het vuur zitten en vlocht haar lange haar. Die avond aten ze zwijgend en Lorenza ging vroeger naar bed dan ze gewoon was in die zeven jaar. Ze was moe van het lopen, zei ze tegen don Pedro, ze was niet meer gewend aan dat gesjouw en al die mensen.

De week erop was er geen olie meer, en opnieuw kamde Lorenza 's ochtends haar vlechten los. Ze strooide wat extra graan in de vogelkooi, bracht het meisje naar de buurvrouw en zei tegen don Pedro: 'Ik zal proberen voor het donker thuis te zijn. Maar maak je niet ongerust als ik pas morgenochtend kom. Ik blijf liever bij mijn tante slapen dan dat ik alleen over die donkere landweg moet.' Don Pedro antwoordde: 'Er moet gewerkt worden, de helft van de tabaksplanten is verrot dit jaar. In het dorp heb je niks te zoeken of het zou een fles olie moeten zijn. Maar die kan ik ook zelf wel gaan halen aan het eind van de maand.'

Lorenza kwam de volgende morgen tegen elven

terug. Ze ging eerst naar de buurvrouw om het meisje op te halen en daarna liepen ze hand in hand naar de schuur waar don Pedro houtblokken voor het vuur aan het opstapelen was. Toen hij hun voetstappen hoorde, draaide hij zich langzaam om. 'Hier zijn we,' zei Lorenza, 'het was te laat gisteravond, het was al donker toen ik klaar was.' Don Pedro keek haar een seconde lang aan. Zijn lippen trilden en zijn voorhoofd werd rood. Hij haalde diep adem, deed een stap naar voren en sloeg haar midden in het gezicht. 'Hoer,' siste hij terwijl hij zich bukte om een houtblok op te rapen, 'godvergeten hoer.'

Die nacht sliep Lorenza bij het meisje. Over de vogelkooi had ze voor het naar bed gaan een zwarte doek gehangen. Ze hoorde hoe het kind regelmatig ademhaalde en zo nu en dan een paar woorden stamelde. Met gesloten ogen en haar hand om het kleine handje naast haar geklemd liep ze opnieuw de landweg af naar het dorp, de markt, de lachende vrouwen, de overvolle cafés waaruit door de openstaande ramen gitaarmuziek en een hese mannenstem klonken. Met een glimlach om haar mond sliep ze in.

Er ging een jaar van hard en zwijgend werken voorbij. De pot geld werd voller en veranderde van plaats. Eens per maand liep don Pedro naar het dorp om rijst, olie, pootgoed en kleren te kopen. Hij bleef dan een paar dagen weg, maar Lorenza legde steeds een verschoning klaar voor als hij terugkwam, en vroeg nooit waar en bij wie hij de nachten had doorgebracht.

Het was op een drukkend hete ochtend in november dat don Pedro al vroeg op het land aan het werk was gegaan. Af en toe veegde hij met zijn mouw het zweet van zijn gezicht en nam een slok lauw water uit de fles die hij half in de roodbruine aarde had gestopt. Het liep tegen elven toen hij even op zijn schop leunde en als terloops in de richting van zijn huisje keek. Vreemd, er stond een paard bij de achterdeur. De postbode kwam altijd pas aan het eind van de middag en sinds hij zelf weer de inkopen deed, waren de venters geleidelijk aan weggebleven. Hij ging door met spitten, de dag was tenslotte al half om. Toen hij onwillekeurig weer even opkeek, zag hij dat het aan een paal vastgebonden paard gezadeld was. Iemand die ver gaat, ging het door hem heen, of een kerel met een vrouwenkont. Hij zette de fles aan zijn mond precies op het moment dat Lorenza en het meisje naar buiten kwamen. Achter hen aan liep een onbekende man die een mand en een vogelkooi droeg. De vreemdeling hielp de twee in het zadel en sprong toen zelf op een ander paard dat tussen het struikgewas langs de kant van de weg had lopen grazen. Nog even keek Lorenza over haar schouder naar de tabaksvelden, toen gaf ze het paard de sporen en verdween met het meisje in een dichte wolk van rood stof.

Don Pedro liet de schop en de fles uit zijn handen vallen. Hij wilde naar haar schreeuwen, maar het was alsof hij door al die jaren van zwijgen haar naam vergeten was. Bevend zocht hij naar een steen waarmee hij Lorenza's paard in de flanken kon raken en begon toen buiten zichzelf van woede dwars tussen de tabaksplanten door achter de stofwolk aan te rennen. Maar de paarden waren al te ver en ongevoelig voor stenen. Hij stond een ogenblik stil. De hoer. Gelukkig wist ze niet waar hij zijn geld bewaarde. Of toch? Hij rende terug naar huis en lichtte onder zijn bed de vierde plank van rechts op. De pot stond er nog, maar boven op het deksel lag de ring die hij haar gegeven had toen zij destijds na een dag van aarzelen had beloofd voor altijd zijn vrouw te zullen zijn.

Met opgeheven hoofd liep hij naar het dorp. Op de plaatsen waar hij aan het oog onttrokken werd door bomen of struikgewas, zette hij het op een hollen; op de kale stukken liep hij snel, maar keek achteloos om zich heen alsof de hele wereld aan zijn voeten lag. Nog nooit had hij de weg naar het dorp in zo korte tijd afgelegd.

Al uit de verte zag hij de paarden broederlijk naast elkaar onder het zinken afdak van het stationnetje staan. Met knikkende knieën wrong hij zijn boerenlijf door de heg naast de ingang en stelde zich verdekt op achter een muurtje aan het eind van het perron. De laatste passagiers stapten zenuwachtig in, want de trein naar Tucumán kon ieder moment vertrekken.

Lorenza hing uit een raampje van het achterste treinstel. Ze zwaaide naar de achterblijvers op het perron, naar de manke lotenverkoper en de vrouw met de broodjes. Toen zag ze plotseling don Pedro's hoofd boven het muurtje uitsteken. Ze liet haar arm zakken en staarde hem aan. Hij bleef onbeweeglijk staan. Hij had nog op de treeplank kunnen springen, hij had haar en het kind zelfs nog voor het oog van iedereen uit de trein kunnen sleuren, hij had haar kunnen slaan zoals op die middag in de schuur, en hij had haar kunnen dwingen voor hem uit terug naar huis te lopen. Maar door zijn armen en benen stroomde lood en zijn tong zat aan zijn verhemelte gekleefd. Hij zag hoe zij het meisje opbeurde en naar hem wees. 'Papa! Papa!' riep het kind en zwaaide opgewonden. Maar ook zijn hoofd was zwaar; hij kon zelfs niet glimlachen of zijn ogen sluiten. Toen het treintje zich langzaam in beweging zette, voelde don Pedro iets warms over zijn wangen lopen, iets dat hij nooit eerder had gevoeld en daarom niet met zijn mouw weg durfde te vegen.

'Wat een vrouw, don Pedro,' klonk de stem van de baanwachter achter hem, 'en wat een kind. Je had het slechter kunnen treffen. Blijven ze lang weg?' 'Hooguit een paar dagen,' vermande don Pedro zich, 'ze gaan naar een bruiloft in Tucumán. Ik kan zelf niet mee. De tabaksplanten verrotten dit jaar waar je bij staat. Slecht jaar, dit jaar.' Hij staarde in de verte waar de trein zich oploste in de blauwe, zinderende lucht. De lotenverkoper, die onverwacht goede zaken had gedaan, kwam met de overgebleven slierten loten grijnzend naar don Pedro toe gestrompeld. 'Hé, don Pedro, geluk beproeven? Drie zevens is altijd raak. Gegarandeerd prijs. Die zwaaiende arm, was die trouwens van je dochter? O, en ik maar denken dat het de pik was van die kerel naast je vrouw!'

Lijkbleek draaide don Pedro zich om. De bulderende lach van de baanwachter kwam als van heel ver, verder nog dan Tucumán. Met stramme benen liep don Pedro het station uit, de weg terug naar zijn huis en zijn tabaksvelden. Het was al avond toen hij de deur opendeed, zich uitkleedde, op de rand van zijn bed ging zitten en met zijn hoofd in zijn handen 'Lorenza' fluisterde.

11 *Jají*

De bus ploeterde langs bergweggetjes vol gaten en losliggend gesteente het Venezolaanse Andesgebergte in. De lucht werd ijler. De zware hitte van de laagvlakte ging geleidelijk over in een aangename koelte die door de open raampjes naar binnen woei.

Hanna haalde diep adem. Op haar schoot lag het bezwete hoofdje van haar tweejarige dochtertje. Voorzichtig schoof ze er een handdoek onder. Ze wilde het kind, dat zich aan haar had vastgeklampt vanaf het moment dat de bus in Caracas vertrok, niet wakker maken. Ondanks de Mexicaanse smartlappen die uit de radio tetterden – vrouw, waarom heb je me bedrogen / mijn lichaam huivert in de zwoele nacht / vrouw, je kent geen mededogen – waren de meeste passagiers tussen de met touwen dichtgebonden koffers in slaap gevallen. De reis duurde vijftien uur, had de chauffeur gezegd, of misschien wel twintig, dat hing ervan af of er in de bergen laaghangende bewolking was en of de riviertjes buiten hun oevers waren getreden.

Om de paar honderd kilometer stopte de bus. De wakker geschrokken reizigers verdrongen zich voor de vuile, naar braaksel stinkende wc's en voor de bar waar warme maïsbroodjes met geitekaas werden verkocht. Voor de chauffeur stond er soep op het vuur, dag en nacht, om hem en zijn collega's tijdens de lange gevaarlijke rit fit en vooral wakker te houden.

En verder ging het weer, steeds hoger de bergen in, steeds kouder en ijler de lucht. Hanna dekte het meisje met haar jas toe. Ze rilde. Nog vijf uur, nog tien als de wolken te laag hingen of gevallen gesteente de weg versperde. De kippen kakelden in de rieten manden boven in het bagagerek. De passagiers probeerden met een sjaal voor hun gezicht te slapen om te voorkomen dat de haarspeldbochten hen misselijk zouden maken. Hanna was misselijk van angst. De bus reed haar steeds dieper de nacht en de leegte in. Een week geleden, op een maandagochtend, had ze voor haarzelf en het meisje een enkele reis naar het bergdorp gekocht, en ze voelde zich daarna opgelucht, overmoedig zelfs. Ik ga ver weg, weg van de optel- en aftreksommen over doden en vermisten, weg van de doodgebloede liefde, ik ga helemaal opnieuw beginnen, had ze tegen haar vrienden gezegd. En nog diezelfde dag kocht ze warme kleren voor de bergnachten.

Het meisje kreunde in haar slaap. Hanna schrok. Het kind kon ziek worden, het kon longontsteking krijgen of misschien had het al wel kou gevat in de tochtige bus. Het kon ook ziek worden van heimwee, het kon om haar vader gaan huilen en 's nachts met grote ogen wakker liggen. Hanna's hart bonsde in haar keel. Ze zou alleen zijn met het kind en het kind alleen met haar op vijfentwintighonderd meter en vijftien uur rijden van de bewoonde wereld. Het zweet brak haar uit. Wilde ze eigenlijk wel weg? Wilde ze niet heel precies weten wie van de achtergebleven vrienden er nog in leven was en wie niet? En was de liefde wel doodgebloed?

Pas de volgende dag bij zonsopgang reed de bus versuft het bergdorp binnen en kwam tot stilstand op het pleintje voor de kerk. Met grauwe, vermoeide gezichten zochten de reizigers hun bagage bij elkaar. Hanna beurde het slapende meisje op, sloeg haar jas om haar heen en stapte als laatste uit. De chauffeur had haar koffer al uit de bagageruimte gepakt. Doelloos stond het bruine ding op het pleintje alsof het nergens vandaan kwam en bij niemand hoorde.

Een taxichauffeur met een wollen muts op vroeg Hanna of ze afgehaald werd door haar man of door familie misschien en waar ze dan wel naar toe ging als ze niemand had. Naar 'El Campito', zei ze, naar een huisje buiten het dorp dat ze voor onbepaalde tijd van vrienden te leen had gekregen.

De taxichauffeur knikte begrijpend, duwde haar met koffer en kind de taxi in en reed fluitend richting 'El Campito'.

Ze stapten uit. De taxichauffeur keek hen grijnzend na. Met het kind angstig aan haar benen geklemd liep Hanna door het huis dat op een willekeurige plek tegen de heuvel was gebouwd. Langs de spleten in de kozijnen groeiden woekerplanten uitbundig naar binnen en voor hun voeten schoten kakkerlakken en een grote hagedis weg. De elektriciteit was afgesloten, de deur had geen grendel. Toen het kind haar losliet om uit het raam te kijken, stootte Hanna haar hoofd tegen de afgebladderde witte muur. Het dreunde, maar het duurde een halve seconde voor ze pijn voelde. Het duurde altijd even voor ze pijn voelde. Ze wist van jongs af de verdoving te rekken, ze was vertrouwd geraakt met de verbijstering. Pas toen het meisje haar hand greep, sprongen er tranen in haar ogen.

De zon stond op zijn hoogst toen ze het smalle zandpaadje naar het dorp afdaalden. Het was het uur van de siësta. De hobbelige straten waren verlaten. Alles wat ze hoorden was het dwingende gezoem van insekten, het blaffen van twee vechtende honden en het water van een bergbeekje dat zich dwars door het dorp kronkelde. Ook het marktplein, waar ze die ochtend in alle vroegte uit de bus waren gestapt, was in diepe rust verzonken. De koopwaar puilde uit manden die bedekt waren met bonte doeken. Zwarte vogels met gele halvemaanvormige snavels pikten opgewonden in het afval van het vleeskraampje. Voor het eerst sinds het vertrek de vorige dag vergat het meisje Hanna's aanwezigheid en begon te spelen met de sinaasappelen die op de grond waren gevallen.

Hanna liep naar het midden van het plein en bleef staan. Met een schok realiseerde ze zich dat staan een jezelf overeind houden is, dat je bij een wankel evenwicht voorover op je gezicht of achterover op je schedel kunt vallen, dat je slap in elkaar kunt zakken of neerploffen. Ze voelde haar wervelkolom in de leegte hangen. Geen enkele wervel had voeling met de daaropvolgende. Het bekken en de benen waren losgeraakt van hun aanhechtingsplaats. Duizend kilometer verderop werd de steun onder haar uit getrokken. Een mannenstem riep van achter de bergen: Je wilde toch alleen zijn? Je wilde toch op eigen benen staan?

Hanna leunde tegen een van de palen die het gammele vleeskraampje overeind moesten houden. De tafel begon te schuiven en het zeil dat over het slagersgereedschap lag, gleed op de grond. Geschrokken deed ze een stap opzij, gooide toen het hoofd in de nek en lachte luid in de middagstilte. Het kind smeet haar sinaasappel op de grond en rende naar Hanna. Ze trok aan haar jurk, gaf met haar voetje een trap tegen Hanna's enkel en begon toen zachtjes te huilen.

De zon stond lager aan de hemel toen uit de pastelkleurig geschilderde huizen marktvrouwen te voorschijn kwamen die de doeken van de manden trokken en hun koopwaar op de grond uitstalden. Grote groengele citroenen rolden tussen de uien en tomaten die een oud vrouwtje per stuk verkocht. Op een krant had ze bosjes kruiden liggen tegen reumatiek, nieraandoeningen, impotentie en liefdesverdriet. Aan de rand van het plein, haast in het voorportaal van de kerk, stonden kooien vol wanhopig kakelende kippen. Op een kar lagen handgeweven kleden maar de eigenaar op het krukje ernaast deed weinig moeite ze aan de man te brengen.

In een oogwenk was het plein vol slenterende dorpelingen en blootsvoets spelende kinderen. Een blinde lotenverkoper schreeuwde met een stem schor van jaren leuren dat de nummers drie en zeven de kopers voorgoed van alle aardse ellende zouden verlossen. Een jongen tokkelde achteloos op zijn gitaar. Hanna kocht een geplukte kip, maïs en een zak sinaasappelen voor het meisje. Daarna liepen ze dezelfde weg langs het beekje terug naar huis.

Die avond vroeg het meisje voor het naar bed gaan of Hanna spookje wilde spelen. Hanna sloeg een wit laken om haar schouders en danste bij het licht van een kaars door de lege kamers. Ze fluisterde toverspreuken en geheimen uit landen aan de overkant van de zee en plukte met haar lange vingers sterren uit de Andeshemel om het huisje te versieren. Het kind keek als betoverd naar al haar bewegingen. Maar plotseling trok ze het laken van Hanna's schouders, zwaaide met haar armen en krijste: Ik heb je, gemenerd! Ik heb je! Met haar handjes greep ze de boze geest, kneep hem fijn en slingerde hem uit het raam het dal in. Toen plofte ze naast Hanna op de achtergelaten matras en viel uitgeput in slaap.

De dagen gingen voorbij, de maanden. Met het kind aan haar hand dwaalde Hanna door dorpen in de omgeving, die bevolkt werden door ingetogen Indianen uit Ecuador, goedlachse negers uit Colombia en rumdrinkers uit Maracaibo, door overspelige hereboeren en met ezels en geiten neukende landarbeiders, door eeuwig zwangere of zogende vrouwen achter de maïsmolen en afgetakelde dorpshoeren.

Op het marktplein zag ze de dorpelingen hun schouders ophalen als ze in het streekblad het laatste nieuws over de kuiperijen van de lokale politici of van de op een ministerspost azende señores uit de hoofdstad lazen. Ze zag scepsis in hun ogen als ze de krant dichtvouwden en op hun uit versleten autobanden gesneden sandalen verder sloften om in een van de acht dorpskroegen het zoveelste glas rum aan hun lippen te zetten.

Met ingehouden adem luisterde ze 's nachts naar een verre viool hoog in de bergen wanneer een man en een vrouw elkaar gevonden hadden. Ze leerde rekening houden met de stand van de maan, met voortekens uit de natuur en met de voorspellingen die een donkere vrouw op de markt deed aan iedereen die er een handvol munten voor overhad om uit de onzekerheid over de toekomst te worden verlost. In het dorp zag ze rebellie in haar meest prille en anonieme fase: nachtelijke gesprekken bij een oliepitje tussen landarbeiders die ondanks hun honger het bijltje erbij neer wilden gooien, of samenzweringen van vrouwen die niet langer slavin wensten te zijn. Ze zag kinderen geboren worden die een paar weken later door doodgravers op het kerkhof vol krijsende apen in een kistje in de grond werden gestopt. Ook Hanna gooide zand en bloemen op de kistjes en dronk na de begrafenis het verdriet mee weg. Ze ging de straat op met verontwaardigde moeders en vloekende vaders die van de aarde hun kind en van de boer hun stuk grond terugwilden. Zaterdags en zondags danste ze op het dorpsplein cumbia en salsa onder de mangobomen die door de taxichauffeur waren versierd met groene en rode lampjes. En zo dempten Hanna en het meisje hun onzekerheid met de levenskunst en de ironie van mensen die niets meer te verliezen hebben.

Na een jaar keerden ze samen terug naar de stad.
De chauffeur moest boven op zijn rem gaan staan om de afgeladen bus bij de afdaling in bedwang te houden. Als de tassen en dozen door het middenpad naar voren schoven, gilde het meisje van pret terwijl de passagiers angstig naar beneden het ravijn in keken en zich aan de metalen stangen van de rugleuningen vastklampten. Het Mexicaanse melodrama schetterde door merg en been. Hanna was de enige die sliep.

12 *Maria*

'We waren straatarm.' Maria schoof het glas bier opzij om een sigaret op te steken. Ze inhaleerde diep en keek om zich heen. Het café bood na middernacht altijd een troosteloze aanblik. De obers hingen vermoeid achter de tapkast, wachtend op het verlossende moment waarop de laatste klant zijn laatste slok zou nemen. Vlak bij de deur zat een oude vrouw met verdwaasde blik haar geld te tellen.

Maria streek haar lange haar naar achteren en keek Hanna met een ironische glimlach aan. 'We waren straatarm. We woonden in Barranquilla in een hut van palen en karton. In het midden hing een gordijn en aan de ene kant sliepen mijn grootouders en mijn drie broers, aan de andere kant mijn vader en moeder. Om mijn bed hadden ze een laken gespannen omdat ik het enige meisje in huis was. Dat laken, Hanna, dat vergeet ik mijn hele leven niet meer. 's Nachts zag ik niets maar ik hoorde alles, jaar in jaar uit.

Mijn opa viel me vaak lastig als ik alleen thuis was. Hij zat aan me en vroeg altijd of ik met mijn benen wijd op bed wilde gaan liggen. Ik was doodsbang maar durfde niet te roepen. Meestal kreeg ik snoep en dan moest ik beloven er met niemand over te praten. Mijn broers haalden grappen met me uit, vooral toen ik voor het eerst bloedde. Ik dacht dat ik dood zou gaan van schaamte, maar mijn moeder legde me uit dat dat bloed het begin van mijn vrouwenleven was en dat ik voortaan voor de mannen moest oppassen omdat ze zouden gaan proberen bij me naar binnen te komen. Dan zou ik een kind krijgen en dat betekende alleen maar nog meer narigheid. Ik durfde haar niet te zeggen dat opa al lang bij me naar binnen was geweest.' Ze stak haar hand omhoog en vroeg aan de ober die had staan meeluisteren en betrapt keek, twee glazen bier. In het licht van de cirkelvormige neonbuis aan het plafond was haar gezicht grauw.

'Na een tijdje kwam mijn vader zonder werk te zitten. Het geld was op en daarom ging mijn moeder wassen en strijken in de stad. Van dat geld kochten we eten en schoolboeken voor mijn broers. Op een dag zei mijn vader: "Maria, het wordt tijd dat jij ook eens aan de slag gaat, want het geld van je moeder is niet voldoende om acht magen te vullen." Ik werd toen dienstmeisje bij een heel rijke familie. Ik kreeg een kamertje bij de keuken waar mijn bed precies in paste. Voor het eerst van mijn leven had ik een eigen plekje, afgeschermd door muren in plaats van een laken. Ik was de koning te rijk. Maar het duurde niet lang of ik kreeg in de gaten dat mijn werk niet alleen bestond uit het dweilen van vloeren en het koken van eten. Ze verwachtten ook van mij dat ik hun oudste zoon zou inwijden in de geheimen van de liefde. Vaak ging de hele familie zondags weg en dan lieten ze hun oudste zoon met mij alleen. Na een jaar werken werd ik hoogzwanger op straat gezet. "Grote god, wat een schande," zei mijn moeder, en nog nooit heb ik mijn vader en mijn broers zo kwaad gezien. "Weer een mond erbij om te vullen," klaagde mijn moeder, "en we hebben het al zo krap. En nog wel mijn enige dochter. Ik had je nog zo gezegd dat je nooit je benen uit elkaar moest doen voor je getrouwd was!" Toen het kind geboren was, kwam mijn vader met een voorstel. "Je kunt maar beter teruggaan naar de stad," zei hij, "nu je het toch zo ver hebt laten komen, kun je er maar beter mee doorgaan en er geld voor vragen. Dan komen wij tenminste ook eens uit de ellende!" '

Ze lachte schamper. Haar lach klonk hol na middernacht. De oude vrouw naast de deur keek geschrokken op.

'Toen ik twintig was verhuisde mijn familie naar een echt stenen huis. Het krotje werd platgebrand. Mijn moeder hoefde niet langer als wasvrouw te sloven en mijn vader was blij dat hij werkloos was. Opa was ondertussen doodgegaan. Ik werkte zeven dagen in de week als hoer, alleen als ik ongesteld was nam ik een paar dagen vrij. Ik was begonnen in een bordeel vlak bij het eindstation van de bussen uit het binnenland. Dat was haastwerk: hooguit tien minuten per klant. Geen flauwekul, geen tijd voor spelletjes. Ik lag half aangekleed op bed en nam altijd een flinke slok rum voordat ze me besprongen. Ik keek steeds een andere kant uit en probeerde aan van alles en nog wat behalve aan de kerel boven op me te denken. Mijn lichaam verdeelde ik in tweeën, in mijn kut en de rest. Die kut konden ze voor vijftig bolívar gebruiken maar van de rest hadden ze af te blijven. Al zaten ze binnen in me, ikzelf was mijlen ver weg. Ik walgde van ze, ik keek verschrikkelijk op ze neer.'

De drie obers achter de tapkast grinnikten ongelovig. Hanna vroeg haar om een sigaret. 'O jezus, de laatste alweer. We doen er samen mee. En die kerels zou ik wel een klap op hun bek willen geven.' Ze inhaleerde weer alsof ze haar hele lichaam wilde vullen met rook, alleen maar rook.

'Binnen een jaar was ik een beschaafde prostituée-met-ervaring. Een paar keer in de week ging ik naar balletles en ik had een mondje Engels geleerd. In het nieuwe bordeel kwam ik alleen nog maar met mannen van betere stand in aanraking, mannen die over meer tijd en meer geld beschikten. Ik kon mijn eigen klanten kiezen. Voor het eerst kon ik nee zeggen als een man me niet beviel. Ik bleef natuurlijk wel altijd koud, koud blijven is de enige manier om te overleven. Als je je bij je klanten laat gaan, heb je geen leven. Mijn gevoel bewaar ik voor de man met wie ik trouw. Bij hem zal ik me laten gaan, hij mag me op mijn mond kussen, hij mag niet alleen mijn kut maar mijn hele lichaam hebben, alles, ook wat ik denk, want bij je liefje hoef je toch niet weg te dromen? Of vind jij van wel, Hanna? Als je gek bent op een man, dan denk je toch niet aan een ander?' Ze legde haar hand met de schreeuwerig lange nagels op Hanna's arm en keek haar vragend aan. 'Waar denk jij aan als je je ogen dichtdoet, Hanna? Denk jij nooit aan de man die op straat toevallig tegen je opbotste, of aan je buurman van driehoog?' Ze schonk het laatste restje bier uit Hanna's glas over in het hare.

'Ze gaan sluiten. Ze willen naar bed. Ik ga ook weleens naar huis, het huis waarvan ik iedere baksteen heb betaald. Ze hebben stoelen en kasten en een koelkast gekocht en het ontbreekt mijn zoontje aan niets. Als ik naar huis ga, kijk ik niet op een bolívar. Ik neem altijd vlees mee en een paar flessen van het een of ander. De laatste keer dat ik thuis was, kreeg ik ruzie met mijn oudste broer. Hij had mijn zoontje met een schoen op zijn handen geslagen omdat die zijn studieboek had vuilgemaakt. Hij schreeuwde: "Hoerenjong, wil je met je hoerenklauwen van mijn boek afblijven?" Ik ben hem aangevlogen. "De moeder van dat hoerenjong mag dan hoer zijn," riep ik, "maar die hoer heeft toch maar mooi jouw boeken en jouw toekomst betaald! Zonder die hoer zouden jullie geen van allen een poot hebben om op te staan! Zonder die hoer zouden jullie nog zitten te creperen in dat smerige krot! En als het hoerengeld je niet bevalt, dan kun je opdonderen!"

Ik ben nu vijfentwintig. Ik mag niet klagen, ik heb het goed. Maar ik heb dagen dat ik ver weg zou willen vluchten. Op zulke dagen wil ik niemand zien en met niemand praten. Dan kan ik zelfs mijn eigen stem niet horen. Dan zou ik eigenlijk het liefst een potje willen janken. Dan denk ik: Is dit nou het leven? Kon ik het helpen?'

Het licht was al uit. De houten stoelen stonden omgekeerd op de tafeltjes. Het café was leeg. Toen ze opstonden, rilde Maria plotseling. En toen de ober achter hen de grendel voor de deur schoof en de straat een donker gat leek, zei ze: 'Als ik het helemaal niet meer zie zitten, denk ik: Stikken jullie allemaal maar met je ellende. Maria naait haar kut dicht. Maria wil Maria zijn.'

13   *De begrafenis*

'Ze zeggen dat het vannacht gestikt is. In een kussen. Het was nog geen week oud.' De al wat oudere vrouw schudde meewarig haar hoofd, pakte het brood van de toonbank en stopte het in een plastic zak. Behendig graaide ze een verfrommeld bankbiljet tussen haar samengeperste borsten vandaan, trok haar blouse weer recht en legde het geld in de uitgestoken hand van de bakkersknecht. 'Ze zeggen dat het helemaal blauw was. De buurvrouw heeft het gezien want de kinderen kwamen haar roepen. Vijf kinderen hebben ze, dit was de zesde. Ze kreeg ze allemaal vlak op elkaar en ertussendoor werd er nog eentje dood geboren ook. Waar haalt zo'n mens het vlees vandaan, zou je zeggen, zo'n mager scharminkel, en dan ieder jaar een kind. En haar man zit al maanden zonder werk. Hij loopt altijd in de vuilnis te scharrelen. Ze zeggen dat hij vroeger vuilnisman is geweest. Je snapt niet waarmee zulke mensen zich in leven houden.' Ze schudde opnieuw haar hoofd, stopte het wisselgeld in een papiertje gerold in haar beha en draaide zich om naar de vrouw die achter haar op haar beurt stond te wachten.

'Jij kent die mensen toch ook, Hanna? Ze wonen

twee straten verderop, naast het café. De vrouw is jonger dan jij maar ze lijkt wel vijftig. Haar man is een beetje vreemd. Mijn dochters zijn doodsbang voor hem want hij kijkt zo raar uit zijn ogen, net of hij niks ziet of juist dwars door je heen kijkt. Ach, je kent hem vast wel. Hij loopt altijd in zo'n verschoten pak over straat, en met van die grote bruine schoenen. Hij zit ook weleens in het café maar ik heb hem nog nooit echt dronken gezien.'

Hanna vroeg om een brood en probeerde zich de straten van de buurt voor de geest te halen. Op iedere hoek een café, op ieder pleintje een vuilnisbelt, alle steegjes vol krijsende kinderen.

'Al ben je nog zo arm,' ging de vrouw verder, 'je houdt altijd van je eigen kinderen. Je hebt ze toch onder je hart gedragen? Moet je je voorstellen, je legt ze 's avonds in bed en 's ochtends vind je ze morsdood onder de dekens. Ze zeggen dat het gestikt is. Verschrikkelijk. Ik moet er niet aan denken dat het mijn kind zou overkomen. Ik zou het mezelf nooit vergeven.'

'Er zal wel niemand op de begrafenis komen,' zei de bakkersknecht. 'Die mensen hebben geen vrienden, ze zijn niet van hier. Hij heeft me weleens geholpen bij het sjouwen van de meelzakken, en toen vertelde hij dat ze helemaal uit het zuiden kwamen, vlak bij de grens. Ik denk dat er niemand mee naar het kerkhof gaat. En waar halen ze trouwens het geld voor de doodgraver vandaan? Ze hebben niet eens genoeg om brood te kopen.'

Plotseling herinnerde Hanna zich het gezicht van de vuilnisman. Niet lang geleden was haar volle boodschappentas midden op straat uit haar handen gevallen. De man die haar op dat moment voorbijliep, bukte zich om de spullen bij elkaar te rapen, en toen ze hem bedankte had hij grinnikend zijn schouders opgehaald en was verder geslenterd. 'Dat is Juan,' hadden de kinderen om haar heen gezegd, 'hij is gek, hij vreet stront!'

'Waarom ga jij niet mee naar het kerkhof?' vroeg de vrouw aan Hanna, 'dan komt er tenminste iemand. Het zal je eigen kind maar wezen. Misschien hebben ze wel hulp nodig. Die vrouw is amper uit het kraambed en dan met de zorg voor vijf kleine kinderen. Die zullen er ook wel wat van overgehouden hebben. Jij hebt nog de meeste tijd van ons allemaal. Morgen om drie uur is het, zeggen ze, ze gaan lopend.'

Om kwart voor drie klopte Hanna op de openstaande deur van het huisje van de vuilnisman en liep naar binnen. Juan keek nauwelijks op. Zwijgend bood hij haar een stoel aan en ging door met het dichttimmeren van het kistje. De kinderen zaten gewassen en netjes aangekleed naast elkaar op een bankje en giechelden verlegen. 'Mijn vrouw is bloemen aan het kopen,' zei Juan na een paar minuten stilte, 'ze kan ieder ogenblik terug zijn. En dan moeten we gelijk weg. We hadden om drie uur op het kerkhof afgesproken.' Hij zette het kistje voorzichtig op de tafel. Het oudste kind klopte tegen de zijkant en keek strak voor zich uit alsof het een antwoord verwachtte. De kleintjes schaterden het uit.

'Daar is moeder,' zei Juan plotseling. De kinderen zwegen verschrikt. In de deuropening stond een vrouw met een paar van een struik gerukte takken jasmijn in haar hand. De zwarte jurk slobberde om haar lichaam en de sjaal die ze om haar hoofd geslagen had maakte haar ogen hard. Zonder iets te zeggen liep ze naar de tafel. Toen ze Hanna ontdekte, bleef ze als aan de grond genageld staan. De bloemen vielen uit haar handen zonder dat ze het merkte. Het bloed trok weg uit haar gezicht. Toen probeerde ze de overbloezende jurk glad te strijken en fluisterde: 'Het is gestikt in het kussentje... we hebben er niets van gemerkt... het was een mooi kindje, helemaal gaaf...' Juan deed een stap naar voren en sloeg zijn arm om haar magere schouders, maar ze draaide zich met een bruuske beweging om. 'We moeten weg,' zei ze met overslaande stem, 'we kunnen de mensen op het kerkhof niet laten wachten.' De vuilnisman pakte wat geld uit een kartonnen doos die boven op de kast stond. Toen beurde hij het kistje op zijn rechterschouder en liep met gestrekte rug naar de deur. Opgewonden sprongen de kinderen van het bankje en renden achter hun vader aan. De vrouw wachtte tot ze allemaal buiten waren en raapte vervolgens met langzame gebaren de takken jasmijn van de vloer. Toen ze overeind kwam en Hanna aankeek, liepen er tranen over haar ingevallen wangen. 'Het spijt me,' zei ze, 'je had hier niet moeten komen. Ik deed het uit wanhoop. Ik kon niet meer. Daarginds is het gelukkiger dan hier.' Ze veegde met een mouw over haar ogen, liep achter Hanna langs naar buiten en trok met een klap de deur dicht.

Drie weken daarvoor, op vrijdagavond, toen Hanna op het punt stond naar bed te gaan, werd er op het raam getikt. Voor de deur stond een hoogzwangere vrouw. Hanna liet haar binnen. In het schijnsel van de lamp boven de tafel zag ze hoe de donkere ogen van de vrouw bleven rusten op de jurk die ze net had uitgetrokken en die over een stoel naast het bed hing.

'Het spijt me, Hanna,' had de vrouw gefluisterd terwijl ze met haar hand over haar buik streek, 'ik moet je dringend iets vragen. Ik moet heel binnenkort naar een begrafenis en ik heb geen rouwkleding. Ik heb alleen maar dit wat ik aan mijn lijf heb. Zou ik voor het kerkhof die zwarte jurk van jou mogen lenen? Die jurk die je vanmiddag aan had. Ik zag je op straat lopen maar ik durfde het bij daglicht niet te vragen.' Ze keek Hanna vertwijfeld aan. 'Het hindert niet als het mijn maat niet is, als hij maar zwart is. Anders zeggen ze nog dat zelfs de dood me onverschillig laat.'

14   *De deur*

Hanna was amper vier toen er feest was in de tuin van de boerderij naast de smidse. Ze was versierd met gerafeld crêpepapier, haar lippen waren rood geverfd en op haar wangen klonterde muffe poeder uit een kartonnen doosje. Ze was vogel. Ze vloog dwars door muziek en kindergeschreeuw en heel hoog gras. Ze danste tot ze erbij neerviel aan de voeten van de buurvrouw die wel dronken leek van zoveel geluk. Ze herinnert zich nog hoe lang die avond de weg naar huis leek, hoe ze stralend naar binnen gerend kwam en hoe een stem zei: 'Je lijkt wel een dooie vogel.'

Hanna was vier. Ze zei dat er in de tuin van de buurvrouw feest was geweest met muziek en glitter. Dat ze gedanst had en dat ze liever dáár woonde om altijd te kunnen vliegen. Ze weet nog precies dat de stem zei: 'Dan ga je maar,' en dat grote handen het roze nachtponnetje uit de la pakten en in een koffer stopten. Ze weet nog dat ze ophield kind te zijn toen de buitendeur openging, de handen haar de duisternis induwden en de stem zei: 'Dan ga je maar.'

Hanna was klein en het was nacht. Iedere ster van de hemel had ze de moeder aan willen bieden en de maan zou voor haar schijnen, enkel en alleen voor haar, de rest van de wereld in het duister, alle licht en glitter voor haar, als Hanna maar naar binnen mocht, als zíj haar deur maar op een kier zou zetten.

Vijf of tien minuten bleef de deur gesloten, een eeuwigheid, en toen tuimelde ze in de afgrond, geluidloos en alleen, en op de bodem van het gat plakte het crêpepapier aan haar lichaam en vermengde het angstzweet zich met lippenstift en schmink.

Hanna was vier jaar oud toen de deur openging en de koffer werd uitgepakt. Ze was moe, ze had een lange reis gemaakt. De grote handen gooiden het crêpepapier in de vuilnisbak, wasten haar mond en buik en klapten haar vleugels dicht.

Ze kreeg een kruik mee naar bed want het was koud die nacht. Nog voor het licht uitging, deed ze haar ogen dicht. Ze deed heel bewust haar ogen dicht, millimeter voor millimeter, en vierde achter gesloten luiken feest met vuurwerk dat hoog in haar hemel uit elkaar spatte.

Tegen middernacht was Hanna zwerver en bij zonsopgang ging ze ondergronds. Niemand was op de hoogte van de onderaardse gangen die zij groef. Geen mens wist van haar dromen, van de geheime verlangens die zij koesterde en van haar plannen om de burcht te ondermijnen.

15   *Het vertrek*

Op het vliegveld van Barbados bevinden zich die namiddag niet meer dan twintig reizigers. Een paar uur geleden is Hanna met haar dochtertje vanuit Venezuela op het eiland geland. Ze had vanwege de prijs en de geleidelijkheid gekozen voor een vlucht in etappes om terug te gaan naar waar ze werd geboren en naar wie ze was voor ze door de weilanden het dorp uit fietste.

De in felrood gestoken grondstewardessen leunen verveeld tegen de balie of ratelen in een nauwelijks verstaanbare taal tegen de kruiers en de stillen, herkenbaar aan hun gespeelde onverschilligheid. Ze sleept twee stoelen binnen de straal van de enige plafondventilator die nog draait. Naast haar op de grond liggen twee bezwete negerkindertjes te slapen terwijl de moeder met een opgevouwen krant lijdzaam de steeds terugkerende vliegen wegslaat. En eindelijk, na al die maanden van twijfel, maakt de vermoeidheid zich van Hanna meester.

Ze wilde terug. Met een schok had ze zich gerealiseerd dat ze terug wilde toen ze aan het eind van een seizoenloze, lome middag in juli de Coloniastraat in Caracas uit liep om in het huis op de hoek water te halen. Ze had de roestige kraan zo ver mogelijk opengedraaid en wachtte tot het armzalige straaltje de emmer had gevuld. Toen ze de uit haar siësta wakker geschrokken buurvrouw voor het water bedankte, hoorde ze zichzelf eraan toevoegen: 'Ik ga terug. Ik ben al zo lang niet meer thuis geweest.' Slaperig had de buurvrouw gemompeld: 'Gelijk heb je, kind. Als ik zo jong was als jij zou ik ook gaan.' 'Ik ga maar voor kort,' hoorde Hanna zichzelf weer zeggen, 'ik wil mijn dochter laten zien waar ik geboren ben, maar ik kom over een paar maanden weer terug. Ik hoor hier.' De vrouw sloeg met haar volle hand een mug van haar bovenarm en lachte. 'Jij hoort hier? Hoezo? Je bent toch van daar? Maar als je echt niet buiten ons kunt, zien we je wel weer terug.' Moeizaam was ze uit haar hangmat opgestaan en naar de tuin gesloft ten teken dat het gesprek wat haar betreft geëindigd was.

Het was een kwestie geweest van de versleten bruine koffer volstoppen met wat haar in de loop van de zwerfjaren dierbaar of onmisbaar was geworden. Daarna had ze dagenlang door de nauwe of voorgoed opgebroken straten gelopen, 's morgens heel vroeg of bij het vallen van de avond als de afgematte mensen zich verdrongen voor vertier of een paar vierkante meter koelte. Ze had zich vastgeklampt aan het uitbundige rood van de bougainvillea en aan de geluiden van vogels en onzichtbare insekten. Haar twijfel had ze weggedronken en in verschillende talen van zich afgepraat en toen kwam het afscheid, een blindelingse ceremonie om geen nieuw verlies te voelen. 'Het is maar voor kort,' had ze steeds weer gezegd, 'de gezichten van vroeger zijn vervaagd. De brieven weten me niet te vinden of raken me niet meer. Ik ga naar huis.'

'Misschien kom je hier wel nooit meer terug, misschien vergeet je ons wel,' hadden vrienden gezegd. 'Maar als je toch terugkomt, wil je dan een reproduktie van "Het joodse bruidje" en een paar flessen jenever voor ons meebrengen?' En de buurvrouw had lachend herhaald: 'Jij hoort hier? Hoezo?'

Hoezo? Hoezo? mompelt Hanna om op de klank van de twijfel naast het meisje in slaap te vallen, maar uit de verte komen de stemmen van Fatima, Regina en Jorge langzaam dichterbij, gehuld in de geur van kruiden uit Zuid-Chili en geroosterd geitevlees uit Salta en Tucumán. Gezichten doemen naamloos op en vormen een triomfantelijke optocht met vlaggen, een betoging op een plein, een lange rij wachtenden voor de hekken van het concentratiekamp. Er klinkt gitaarmuziek en donkere, slanke vingers roffelen in een steeds sneller ritme op een trom. De negerkindjes

op de grond schrikken huilend wakker. Verontschuldigend vraagt de moeder aan Hanna of zij op
de wankele berg bagage wil letten en trekt de
kleintjes achter zich aan in de richting van het
souvenirstalletje. Hanna telt afwezig de uitpui-
lende tassen en dozen en probeert niet opnieuw
weg te glijden in wat voorbij is.

Wie zal haar komen afhalen? Wie zal er met een
zakdoek zwaaien en vragend glimlachen van achter glas? 'Wat ben je lang weggebleven,' zullen ze
waarschijnlijk zeggen, 'wat zie je er goed uit, was
het dan niet gevaarlijk daarginds? Hoe lang duurde het voor je je thuis voelde en is het waar dat
hun logica heel anders is dan de onze?' Als na de
eerste weken de euforie geluwd is, zullen ze na een
paar glazen wijn misschien aarzelend opmerken:
'Wat ben je veranderd, we herkennen je bijna niet
meer.' En dan de genadeslag: 'Je bent een vreemde.
Je dochter spreekt een andere taal. Je bent niet
meer van hier.'

'Señora,' zegt een mannenstem, 'wilt u even
meekomen naar de balie? Er is een probleempje
gerezen, niet belangrijk, señora.' De oudste van de
twee grondstewardessen kijkt Hanna met een
paar stralende ogen aan en zegt, zich beroepend
op de autoriteit van haar nauwzittende uniform:
'De maatschappij heeft een vergissing gemaakt,
señora. Uw koffer is met hetzelfde vliegtuig te-

ruggegaan naar waar u vanochtend vandaan bent gekomen.' Hanna schrikt op, waar is ze vandaan gekomen? Waar is haar koffer naar toe gegaan: naar het noorden, het zuiden, de warmte, de kou, het ene huis of het andere?

'Bent u tegen verlies of diefstal verzekerd? Echt niet, señora? Zaten er waardevolle voorwerpen in de koffer? Ook al niet? U wilt toch niet zeggen dat uw koffer leeg was, señora?' Nee, haar koffer is vol, haar hele leven zit in haar koffer. 'De maatschappij biedt haar verontschuldigingen aan, señora,' gaat de stewardess nog even opgetogen verder. 'Het gebeurt wel vaker dat koffers zoek raken, zelfs op de grote vliegvelden van Europa. Gelukkig heeft u uw paspoort en uw ticket nog, u kunt tenminste laten zien wie u bent. U kunt echt met een gerust hart uw reis vervolgen. We zullen u een paar gratis consumptiebonnen geven en u kunt er zeker van zijn dat wij ons uiterste best doen uw bagage terug te vinden.'

Hanna voelt een doffe pijn in haar hoofd. Alle kleren kwijt, de bloknoot met aantekeningen, speelgoed, foto's, adressen en telefoonnummers aan beide kanten van haar wereld, een plankje met de naam Jacoba, geluidsbanden, dagboeken, een gedroogde klaproos. Alleen haar identiteitsbewijs heeft ze nog in haar handen. Die foto op de derde bladzijde van paspoort nummer T 371885, dat is zij. Haar naam staat voluit op het ticket. Die komende en gaande vrouw, dat is zij, en die *miss*, die *miss* dat is haar kind.

'Kunnen we hier blijven?' vraagt ze aan de uniformen.'Alsjeblieft, een paar dagen, een week? Misschien wordt mijn koffer wel teruggevonden.' De stewardess, die al bezig is met een volgende passagier, kijkt haar verbaasd aan. 'Maar señora, u heeft toch geen geld en geen kleren? De maatschappij is aansprakelijk voor uw bagage voor zover die niet gestolen wordt, maar niet voor u. Het lijkt ons verstandiger dat u naar uw eindbestemming vertrekt. Wij spreken uit ervaring. Wachten is in dit soort gevallen echt verloren tijd.' Met een gebaar waarmee ze kennelijk wil aanduiden dat iedere bezigheid in dit leven verloren tijd is, geeft ze Hanna haar ticket terug.

Nauwelijks een half uur later kraakt een stem in het Engels door de luidspreker aan het plafond dat de reizigers voor vluchtnummer 739 worden verzocht zich naar de linkerdeur te begeven. Een handjevol mensen vormt gewillig een rij. Hanna voelt de druk tegen haar slapen heviger worden. Van de losse munten in haar zak koopt ze nog snel een schelpjesketting voor degene die haar zal komen afhalen. 'Gelukkig was er niets van waarde bij, señora!' roept een van de uniformen haar na van achter de balie. Ze knikt. Van weinig of geen

waarde: klanken uit het oerwoud, een bommen-
werper in duikvlucht boven Santiago, gekristalli-
seerde tranen en zwart-wit geluk op doorsnee-
formaat. Niets dat in aanmerking zou zijn gekomen voor een schadevergoeding.

Op vertoon van het paspoort mogen Hanna en
het meisje als laatsten de linkerdeur door naar de
open lucht. Voor hen ontrolt de startbaan zich
tot aan de zinderende horizon. Donkere gedaan-
tes gaan in de verte een trap naar de hemel op.
Een volgeladen botsautootje schiet rakelings langs
hen heen. Het oorverdovende geraas van motoren
ketst tegen het gloeiende asfalt en afscheidstranen
drogen nog voor ze zich een weg hebben kunnen
banen. De pijn klapwiekt tegen de binnenkant van
Hanna's slapen. Haar hoofd voelt te klein. Het
lijkt te barsten.

Ze pakt het kind bij de hand en loopt terug. In
de schaduw gaan ze samen tegen een door wilde
planten overwoekerd muurtje zitten. Motoren
draaien op topsnelheid. Hanna ziet hoe de trap
naar de andere wereld langzaam wordt ingetrok-
ken. Armen gebaren, een deur slaat dicht. Als
even later een zwarte vogel voor de zon langs
vliegt, wordt het stiller in haar hoofd. Uren blijven ze zo zitten, totdat de tropenschemer hen
tenslotte terug geeft aan de verlatenheid van het
niemandsland.